PROGRAMACIÓN PARA NIÑ@S

Tu juego en 10 fáciles pasos con Scratch

Edición bilingüe

CODING FOR KIDS

Your game in 10 easy steps with Scratch

Bilingual edition

THOMAS SZAFIR FRIDMAN

CAUTE PUBLISHING
AMSTERDAM

Título de la edición en idioma español: Programación para niños: Tu juego en 10 fáciles pasos con Scratch

Title of the English language edition: Coding for Kids: Your game in 10 easy steps with Scratch

Diseño de cubierta: Sebastiaan Szafir

Primera edición: Junio 2021

© 2021 Thomas Szafir Fridman

© Caute Publishing, Amsterdam.

Todos los derechos reservados.

ISBN: 978-0-9906049-4-5

www.scratchcodingbook.com

Para Flash, mi caniche, un apasionado de la programación y dormir. Mejor amigo, aunque algo perezoso, pero siempre listo para jugar a la pelota. Síguelo en @flashddog en Instagram.

To Flash, my poodle dog, passionate for coding and sleeping. Best friend, king of lazy, but always ready to play with the ball. Follow him at @flashddog on Instagram.

ÍNDICE

AGRADECIMIENTOS

Gracias a mi hermano Sebi quien es mi mejor maestro de programación y amigo; a mis padres por su apoyo no solamente con este libro sino con todo lo que hago y sueño con hacer; a la comunidad de "scratchers", y a mis profesores de programación en TechTalents aquí en España que ¡son lo más!

ACKNOWLEDGMENTS

Thanks to my brother Sebi, who is my best coding teacher and friend; to my father and mother, because I thought it was kind of basic to thank them not only for their support with this book, but with everything I do and dream of doing, to the Scratch community, and to my TechTalents coding teachers here in Spain that rock!

0 ABOUT THIS BOOK

ACERCA DE ESTE LIBRO

CODE YOUR GAME IN 10 STEPS

Welcome to Scratch in 10 steps! In only a few hours you will be able to program your own game and play online with friends and family. Are you ready?

We have designed this book to be a step-by-step guide for kids without any type of previous experience in coding.

Scratch is a coding language designed at the Massachusetts Institute of Technology in the US to serve as a way to introduce kids into the science of programming computers.

TU JUEGO EN 10 PASOS

Bienvenido a Scratch en 10 pasos. En tan solo unas horas serás capaz de programar tu propio juego y jugar online con tus amigos y familiares. ¿Estás listo?

Hemos diseñado este libro como una guía paso a paso para niños sin ninguna experiencia previa en programación.

Scratch es un lenguaje de programación del Massachusetts Institute of Technology de los Estados Unidos, creado para introducir a los niños a la programación.

WHY IN TWO LANGUAGES?

Spanish and English are perhaps two of the most widely spoken and arguably most useful languages you can ever learn. So we thought that it could be a

¿POR QUÉ EN DOS IDIOMAS?

El inglés y el español son quizás dos de los idiomas más hablados, y probablemente los más útiles que puedas aprender. Es por ello que pensamos que podría ser una good idea to write this book in both languages in one single edition.

Programing, as you move to a more professional level, tends to use English language as a base. For that reason, even if you are more comfortable with the Spanish language, we suggest you give it a try in English. You will always have the column in Spanish right next to the one in English, so you will never feel lost in translation!

WHY LEARNING TO CODE

In today's world, coding is considered basic literacy; and the sooner a kids starts to learn how to code, the better. There are many reasons why kids should learn how to program, and these are just five of them:

1. Coding will prepare you for the job market of the future.

In the past, coding was learned only by computer science engineers, and used for computers. But now, everything from our phones to TVs and most home appliances are connected to the internet. In the future, basic coding skills will be required from us for every job, as we will be expected to be able to interact with programs as users. As you venture into the job market in the

buena idea escribir este libro en los dos idiomas, lado a lado, en una sola edición.

A medida que avances a niveles más complejos de programación, el idioma base de los lenguajes suele ser el inglés. Por ello, aunque estés más cómodo en español, te sugerimos que pruebes en inglés. Recuerda que siempre tendrás la columna en español disponible junto a la de inglés, para entender lo que está escrito, así que ¡nunca te sentirás perdido!

¿POR QUÉ APRENDER A PROGRAMAR?

En la actualidad, programar es una capacidad básica como aprender a leer y escribir. Hay muchas razones por las cuales un niño debería aprender a programar cuanto antes. Cinco de ellas son:

1. Programar será indispensable en el mercado laboral del futuro.

En el pasado, programar era un oficio reservado para los ingenieros en computación. En cambio ahora, desde nuestros teléfonos hasta los televisores y lavadoras están conectadas a internet. En el futuro, se nos requerirán conceptos básicos de programación para todo tipo de trabajos, y tener la habilidad de usar y entender todo tipo de programas. Cuando te toque insertarte en el mercado laboral,

future, having a basic understanding of what coding is will be a critical asset, and perhaps, a must have.

tener nociones básicas de programación será una ventaja añadida y a lo mejor, hasta una condición necesaria.

2. Coding helps you improving their math skills.

2. La programación mejora tu habilidad matemática.

Coding is basically logic and helps you learn math as part of the process of programming. Together with logic, coding involves abstract concepts that are needed to master math at all levels.

Programar es lógica pura y te ayudará a aprender matemáticas mientras escribes código. Programar enseña a pensar en forma abstracta, lo que es necesario para las matemáticas en todos sus niveles.

3. Coding is actually just another language.

3. Programación es simplemente otro lenguaje.

Learning a new language will develop new neural connections in your brain, and with it, enhance lateral thinking, problem solving and memory.

Aprender un nuevo lenguaje desarrolla nuevas conexiones neuronales en el cerebro y esto mejora la memoria, el pensamiento lateral y resolución de problemas

4. Coding helps developing your creativity.

4. Programar ayuda a desarrollar la creatividad.

To program a game, like you will do with this book, is to create a story that follows a given logic. It has a beginning and an end, and has to flow in a certain way. The more you code, the easier you will find it to solve problems using logic and structured thinking.

Programar un juego, como lo que harás en este libro, es crear una historia con una cierta lógica, que fluya, con un comienzo y un final. Cuanto más programes, más fácil te será resolver problemas usando lógica y un pensamiento estructurado.

5. Coding is a team sport.

5. Programar es un deporte de equipo.

Contrary to what many people think, in real life programming is

Al contrario de lo que la gente piensa, en la vida real los

done by teams that code together. It's a proper team sport. As you learn to write code, you will be able to share your passion with friends, and develop your ability to work in teams, helping each other to achieve a common goal.

profesionales programan en equipos. Por ello, a medida que aprendas a programar, podrás compartir tu pasión con tus amigos, y desarrollar la habilidad de trabajar en equipo y colaborar para alcanzar una misma meta.

WHY CODING WITH SCRATCH

There is probably no better way to introduce kids to computer programming than Scratch.

Scratch has been specially developed at the Massachusetts Institute of Technology (MIT) to help kids start coding with a low frustration and highly intuitive method. Strictly speaking, using Scratch is not writing code, but rather coding with a "block-based" programming language. With it, kids understand the logic of programming and can get results very fast.

The website of Scratch, as kids will learn in this book, is also a kind of social network, where children around the world learn the collaborative aspects of coding, and get introduced to the concept of "open source", where whatever you produce can be used by other Scratchers, building on your programs, copying and improving your work.

PORQUE PROGRAMAR CON SCRATCH

Probablemente para un niño no haya mejor manera de comenzar a programar que con Scratch.

Scracht ha sido especialmente desarrollado por el Massachusetts Institute of Technology (MIT) para ayudar a los niños a comenzar a programas sin frustración y con un método intuitivo. Scratch, más que escribir código, es programar arrastrando y combinando bloques. De esta forma los niños entenderán la lógica de la programación y obtendrán resultados muy rápido y sin frustrarse.

La página web de Scratch que los niños aprenderán a usar con este libro es también algo así como una red social, donde chicos de todo el mundo aprenden a colaborar programando y son introducidos en el concepto de "open source", donde todo lo que creas puede ser utilizado por otros Scratchers, copiando y mejorando tu trabajo, y tú el de otros.

Today, there is a whole generation of computer science engineers that have started their journey at a very young age thanks to Scratch. We call them the "Scratch generation": lucky children that have benefited from Scratch, learning to code the same way you learn to play.

Hoy en día, hay una generación de ingenieros en programación que han empezado en este mundo a una edad muy temprana gracias a Scratch. Los llamamos "la generación Scratch": niños que han aprendiendo a programar de la misma manera que se aprende a jugar.

THE XP BAR

As you move forward in the book, you will gain more experience and the XP bar will show your progress!

LA BARRA DE EXPERIENCIA

A medida que avances, tendrás más experiencia y lo podrás ver reflejado en la barra de experiencia!

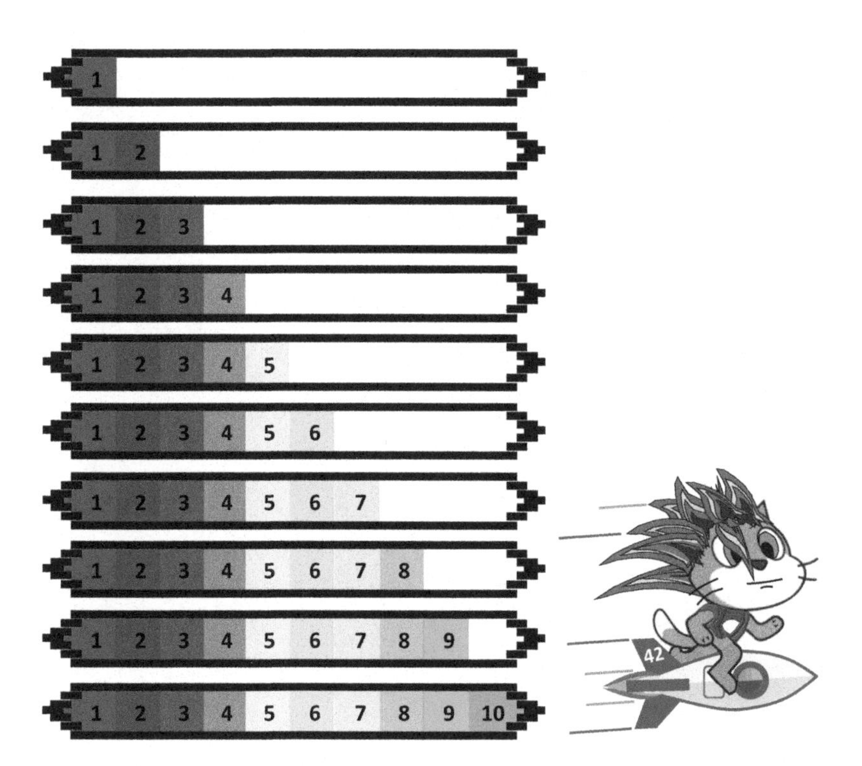

1 GETTING STARTED

COMENZAMOS

HOW TO READ THIS BOOK

To make it simpler and also faster for you to get going with your first game, we will identify every section with an icon. Each icon will help you navigate the book and decide if you want or not to read the chapter or section.

The icons are the following:

Important content that you have to read.

An idea that can help you, but you can skip it.

An advanced level idea; give it at try!

Our comments. Fine! You can ignore them :-)

Remember: the best way to learn coding is by experimenting, trying and making mistakes. Click on everything, change values, and see what happens. Have fun!

¿CÓMO LEER ESTE LIBRO?

Para hacerte las cosas más fáciles, y para que puedas ir más rápido con tu primer juego, hemos identificado cada sección con un icono. Los iconos te ayudarán a navegar este libro, y podrás decidir si quieres o no leer cada sección.

Los iconos son los siguientes:

Contenido importante que debes leer.

Una buena idea que te puede ayudar, pero es opcional.

Una idea de nivel más avanzado; ¡atrévete!

Nuestros comentarios, que vale, ¡los puedes ignorar! :-)

Recuerda: la mejor forma de aprender es probando todo y cometiendo errores. Haz clic en todos lados, cambia valores, y fíjate lo que sucede. ¡Diviértete!

GETTING STARTED: YOUR SCRATCH ACCOUNT

Using Scratch is free, but you need to register so you can have your own account. Like with social network websites, the first step is to select a user name and password.

Go to scratch.mit.edu and click on 'Join' to start the registration process. Simply fill-in the questions as you are prompted to and you will be ready to take off into the universe of Scratch!

COMENZAMOS: CÓMO ABRIR TU CUENTA EN SCRATCH

Scratch es gratis, pero necesitas registrarte para poder usarlo. Como con las redes sociales, el primer paso es crear tu propia cuenta con un nombre de usuario y una contraseña.

En tu navegador, debes ir a scratch.mit.edu y hacer clic en "unirse" para comenzar el proceso de registro. Completa los campos y en pocos minutos estarás listo para comenzar.

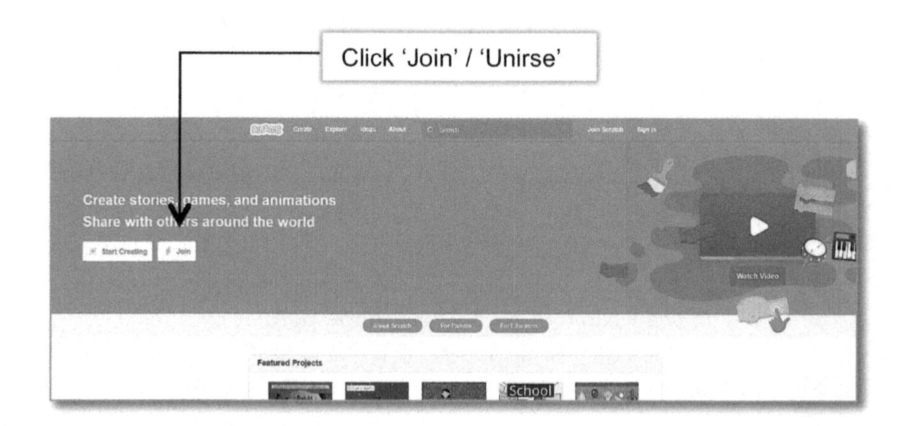

WELCOME TO SCRATCH

The home screen greets you with a variety of possibilities. On the top you should be able to see a blue bar that will be your guide throughout your Scratch journey.

BIENVENIDO A SCRATCH

En la página principal de Scratch verás muchas opciones. Fíjate que en la parte superior hay una barra azul que te servirá de guía durante todo el proceso.

The different sections available include:

- Scratch (Home Menu)
- Create
- Explore
- Ideas
- About
- Search Bar
- Mail
- Projects
- Account

Las opciones que te ofrece la web de Scratch incluyen:

- Scratch (Menú principal)
- Crear
- Explorar
- Ideas
- Acerca de Scratch
- Barra de búsqueda
- Correo
- Proyectos
- Tu cuenta

WHY NOT PLAYING WITH SCRATCH!

What a better way discover what scratch has to offer than trying out one of their featured projects? The featured section on the home page showcases the best projects from the community each day, which keeps it fresh and up to date with how the best scratchers are up to!

Go ahead and select one that interests you and give it a try. To play them, once selected a project, simply click on the green flag to begin.

¡PRUEBA JUGAR UN JUEGO DE SCRATCH!

Una muy buena idea para entender lo que se puede hacer con Scratch, y para divertirte, es visitar la sección de proyectos destacados que aparece en la página principal. Allí encontrarás una selección de los mejores proyectos programados por miembros de la comunidad de Scratchers, como pronto lo serás tú, actualizado todos los días.

Elije el juego que más te interese y para jugar tan solo debes hacer clic en la bandera verde.

You can give Scratch projects a 'heart' to show that you like them and a 'star' to save the project amongst your favorites! You can see your favorite projects all organized in your profile.

Cuando un proyecto te guste, le puedes dar un corazón, y también puedes ponerle una estrella para guardarlos entre tus favoritos. Así, cuando visites tu perfil, verás los proyectos que más te gusten.

Soon you will learn how to make games and perhaps one of your own projects will be up there in the featured projects section.

¡Pronto podrás hacer tu propios juegos, y quizás un día veas tus proyectos entre los destacados en la página principal!

Remember that you can change the language of the site with a drop down menu at the very bottom of it.

Recuerda que puedes cambiar el idioma de la web de Scratch con un botón de opciones al final de la página.

CREATING YOUR FIRST SCRATCH PROJECT

CREANDO TU PRIMER PROYECTO DE SCRATCH

To begin with your scratch journey, lets head to the workshop. This is where the magic behind all of Scratch's projects originates.

Para comenzar tu aventura, vayamos directo a la sección 'workshop'. Aquí es donde se origina la magia de todos los proyectos.

To head there, simply click 'Create' in the top-left.

Para comenzar, haz clic en 'Create' (Crear) arriba a la izquierda.

Greetings! You have now immersed yourself into the 'Scratch' workshop.

Genial, ya estás en el 'workshop', el verdadero taller de Scratch donde podrás programar.

The layout might seem a little overwhelming at first, but after the remaining chapters you will have learnt it like the palm of your hand. The first thing we need to do is name our project.

No te preocupes si al principio todo te parece muy complejo, ya verás que capítulo a capítulo aprenderás cada detalle y serás un scratcher. Lo primero será darle un nombre a tu proyecto.

On the left side of your screen you can see a group of blue blocks. These blocks can be dragged onto the large white canvas in the middle in order to do certain functions. These blocks will fit into each other like a puzzle, making your coding adventure, simple, fun and logical!

En la parte izquierda de tu pantalla verás una serie de bloques azules. Puedes arrastrar cualquiera de estos bloques a la pantalla blanca del centro para que ejecuten ciertas funciones. Estos bloques encajan como en un puzle para que puedas programar más rápido y fácil.

Try dragging the first block on the top onto the white canvas. See how it just snaps onto it and stays there?

Prueba arrastrar con el ratón el primer bloque de la lista a la pantalla central. ¿Ves que se queda allí?

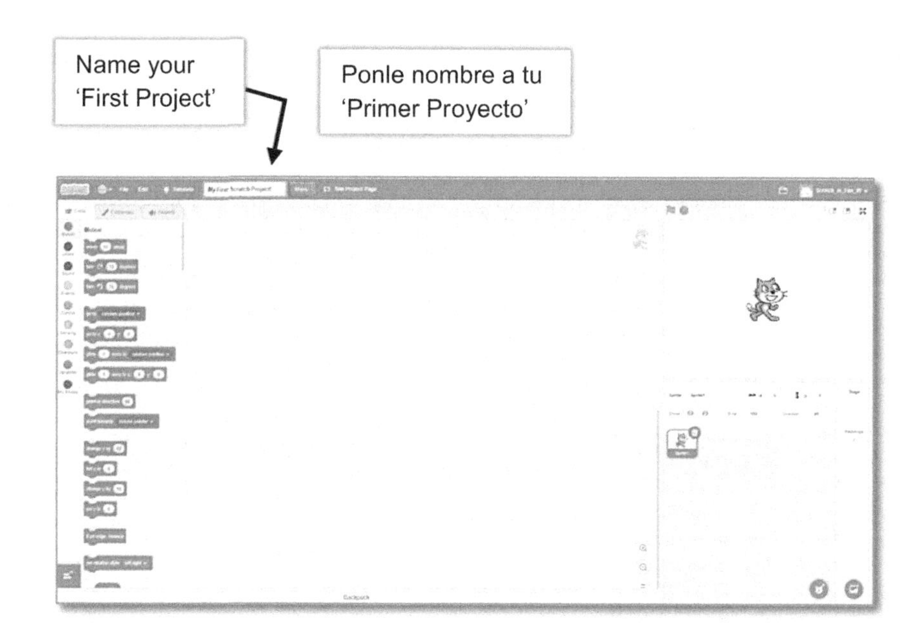

You have just laid down your first block of code, well done! Try clicking it to see what happens. Pay attention to the little cute cat on the right of your screen as you click the block. See how he moves

Pues así de simple ha sido poner tu primer bloque de 'código' en tu programa. Ahora haz clic en el bloque y estate atento a lo que sucede. Mira al pequeño gatito que hay a la derecha de tu

slightly to the right each time? This happens because the block that you dragged onto the screen says 'move 10 steps', so when you click it, the cat takes 10 steps! Be careful, if your cat is about to leave the screen, simply drag him back to the middle!

Now try dragging the second block and placing it exactly underneath your other block. See how they just snap together? Now when you click on the blocks the cat will first 'move 10 steps' like last time, but now also 'turn 15 degrees'. Try clicking it a couple times to get used to it -pay attention to the cat! Woo, he now goes in circles!

If you are feeling a bit lost, don't worry. This is what your screen should look like so far. If you aren't there yet, try catching up by dragging the blocks from the 'top-left' like indicated previously.

pantalla. Verás que cada vez que haces clic en el boque, el gatito se mueve. Esto sucede porque el bloque que has seleccionado dice 'moverse 10 pasos", entonces cuando haces clic, el gato se mueve 10 pasos. ¡Presta atención, si ves que el gato se sale de la pantalla, arrástralo de vuelta al centro!

Ahora arrastra el Segundo bloque de la lista, y ponlo justo abajo del que ya tenías. ¿Ves como encajan perfecto? Ahora cuando hagas clic, el gato además de moverse 10 pasos, girará 15 grados. Haz clic varias veces y mira lo que hace el gato. ¡Wow, se mueve en círculos!

Si te has perdido, no te preocupes. Aquí abajo puedes ver como debería lucir tu pantalla. Si la tuya no se ve igual, tan solo arrastra los dos primeros bloques a la pantalla central.

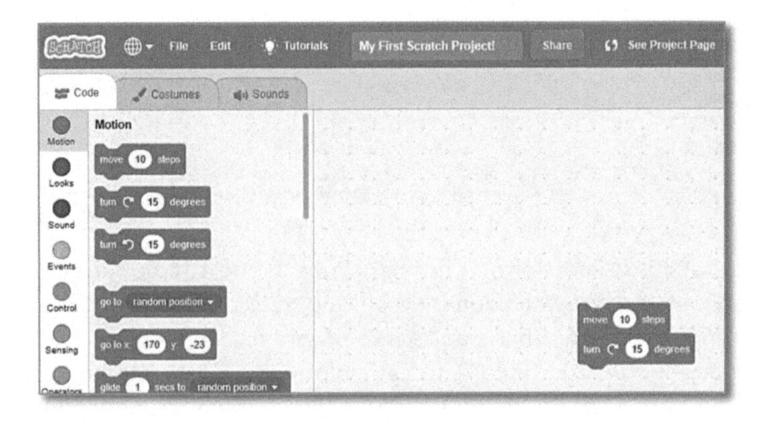

Perfect, now that you are all caught up, we can continue. Next, notice how on the left of your screen there is a vertical bar of colored circles? See how the blue circle, that says 'motion' is highlighted a little darker, that is because you currently have it selected.

Estupendo, ahora que estamos todos al mismo nivel, sigamos programando. Ahora fíjate en la parte izquierda de la pantalla y verás círculos de diferentes colores. El círculo azul dice 'motion', movimiento, y está señalado con sombra para indicar que lo has seleccionado.

So, Scratch is showing you all the block options for 'movement'. To change simply click on the colored circle that you want to change to. Click on the 'events' section. Then, drag the first block (the one with a green flag) onto the canvas and leave it on top of the other two blocks like shown below.

Al estar el azul seleccionado, Scratch te muestra todos los bloques con opciones de 'movimiento'. Para cambiar de sección, prueba hacer clic en otros círculos. Haz clic en la sección de 'events', eventos. Ahora arrastra el primer bloque de la lista (el que tiene una bandera verde) y ponlo arriba de los dos que tenías en tu pantalla.

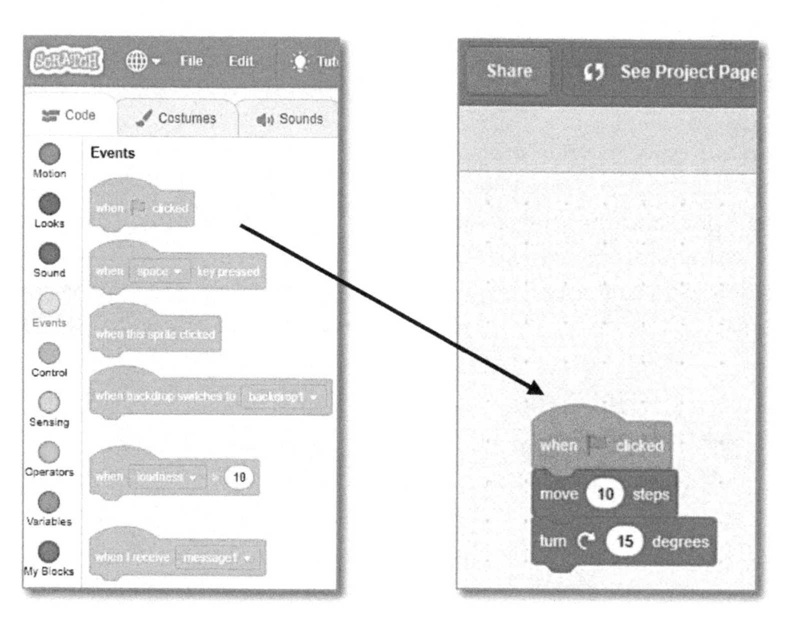

This makes it so that every time you click the green flag, you run all of your code. The green flag can be found near the top-right of your screen beside a red octagon.

You have now finished your first piece of code! Your 'mini-game' is ready to be played.

Right below your username on the 'top-right' of the screen click the four arrows to go on 'full-screen'. Now, press the green flag on the 'top-right' to run your code.

Each time you press the flag, your cat will both move to the right and turn slightly.

The project should save automatically. Click on the large Scratch logo on the top-left to go back to the home-screen.

Now, to go back to your project, you can click on your username on the 'top-right', and then select 'My Stuff', or alternatively just click on the 'folder' logo to the left of your username.

Este bloque indica que cada vez que alguien haga clic en la bandera verde que está arriba a la derecha de tu pantalla junto al octágono rojo, comenzará tu juego.

¡Pues así de simple, ya has terminado tu primera parte del código! Tu 'mini juego' ya está listo para ser jugado.

En la esquina de arriba a la derecha de tu pantalla, haz clic en las cuatro flechas para agrandar la imagen. Ahora haz clic en la bandera verde arriba a la izquierda. Cada vez que hagas clic, el gato se moverá a la derecha y luego girará un poco.

Los proyectos se guardan automáticamente. Haz clic en el logo de Scratch arriba a la izquierda para ir al inicio.

Para volver a tu proyecto, puedes hacer clic en tu nombre de usuario arriba a la derecha, y seleccionar 'my stuff', mis proyectos, o si lo prefieres, haz clic en la carpeta que aparece a la izquierda de tu nombre de usuario.

Your project should be right where you left it! Simply click 'See Inside' to continue coding.

Tu proyecto estará allí tal cual lo has dejado. Si quieres continuar programando, haz clic en 'see inside', ver dentro.

KEEP THE CAT IN THE BOX!

¡QUE NO SE TE ESCAPE EL GATO!

Interested in a fun challenge? Remember how before you had to grab your cat to make sure it didn't leave the screen? Well, let's see if you can make it so the cat never leaves the screen!

Te propongo un desafío divertido. ¿Recuerdas que tenías que coger al gato para que no se salga de la pantalla? ¡Pues probemos a ver si puedes lograr que ya nuca se escape de la pantalla!

Head back into the project, click on 'see inside' to continue programming, select the 'motion section' and let's try making your cat bounce off the side of the screen when it hits it.

Vuelve al proyecto y selecciona 'ver dentro', para ver dentro y seguir programando. Ahora vamos a probar que el gato rebote en el borde de la pantalla y no se escape.

Hint: You might want to decrease the degrees the cat turns, by selecting where it says '15' and typing a new value. You will also need to look on the left of your screen, to see if there is a block that can help you.

Pista: Prueba reducir los grados que gira el gato. Selecciona donde dice '15' y escribe un nuevo número. Mira la lista de bloques en la izquierda de tu pantalla, para ver si encuentras uno que te ayude.

Solution: Lower your turn degrees to a value between '-2' and '2'. Then, drag the block that says 'if on edge, bounce' right below the rest of your blocks.

Solución: Reduce los grados a un valor que esté entre '-2' y '2'. Luego, arrastra el bloque que dice 'if on edge, bounce', si en el borde, rebotar. Ponlo justo al final de tu columna de bloques.

Now, every time you press the flag, your cat will move forwards a bit and bounce of the edge of the screen, never escaping it!

Ahora, cada vez que hagas clic en la bandera, ¡tu gato avanzará hasta rebotar en el borde de la pantalla!

Could you do it? If not, here is the solution you need!

¿Lo has logrado? ¡Abajo tienes la solución al desafío!

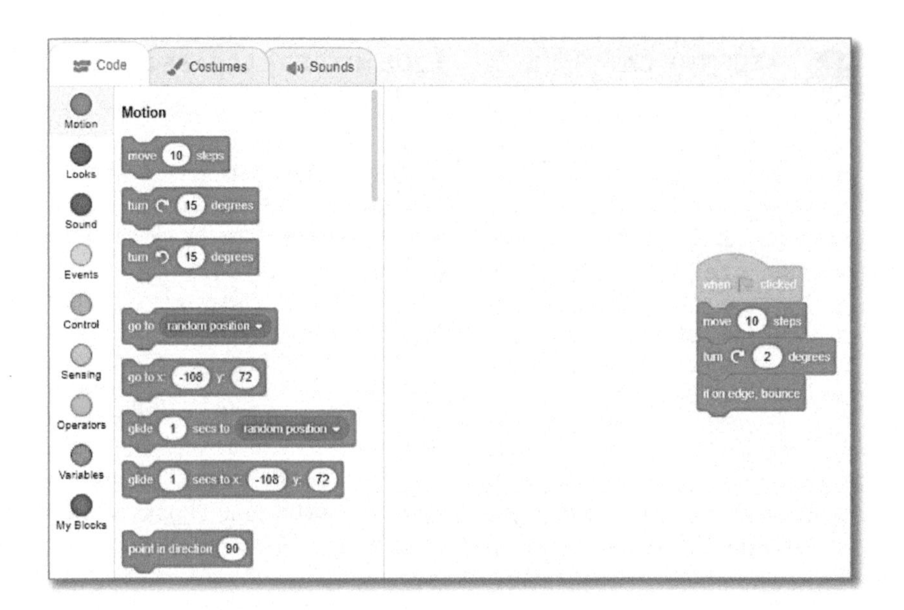

CUSTOMIZING YOUR SCRATCH ACCOUNT

The truth about Scratch, is that it isn't just your ordinary programming language. It is a community, and with every community come plenty of social and interactive features for you to enjoy! One of the main aspects is creating and publishing projects for others to see.

You have already learnt the process of creating a project, and you will learn soon both how to finish a project, and how to then publish it.

Apart from coding, Scratch also offers many other engaging activities. For instance, you can customize your account!

To change your profile, simply click on your account name on the 'top right' and then select 'Profile'.

TUNEA TU CUENTA DE SCRATCH

La verdad es que Scratch es mucho más que un lenguaje de programación. Scratch es una comunidad social llena de posibilidades para interactuar y disfrutar del trabajo de otros.

Para participar de esta comunidad tienes que publicar tus proyectos para que todos puedan verlos.

Ya has aprendido a crear un proyecto, y pronto podrás finalizarlo y publicarlo para que todos puedan jugar con él.

Además de programar, Scratch te ofrece muchas otras actividades en las que participar. Por ejemplo, personalizar tu cuenta.

Para cambiar tu perfil, tan solo haz clic en tu nombre de cuenta arriba a la derecha, y luego selecciona

Once there, you can see everything to do with your account. Why don't you choose yourself a new fancy profile picture that represents you best? Search for a picture you like or your computer or online and download it to your device.

Then, return to the scratch profile page and click 'change' on the pale white cat logo beside your name on the 'top-left' of your screen. Go ahead and select the picture you want for your profile.

Additionally, you can also write a bit about yourself on your profile for other curious scratchers to see. Do not write anything personal such as your address or last name.

You have to behave in Scratch like you do on all other social networks: carefully and never sharing personal information or photos with strangers.

Once you have published a couple projects, you will have many others flocking your profile so it's always best to have some information to greet them with.

Click on the 'About me' box to write stuff about yourself and on the 'What I'm working on' box to and tell the community about what your projects. Let your creativity run wild!

'Profile', perfil. Allí podrás ver todas las opciones de tu cuenta. Por ejemplo, prueba poner una foto de perfil que te represente mejor. Para ello, busca en tus archivos o en Google una foto que te guste y guárdala en tu ordenador.

Luego, desde tu perfil en Scratch, y elige 'change', cambiar, en el dibujo del gatito justo al lado de tu nombre arriba a la izquierda. Ahora simplemente elige y sube la foto que quieres para tu perfil.

También puedes escribir algo acerca de ti en tu perfil para que otros miembros de la comunidad vean. No escribas nada privado como tu dirección o apellido.

En Scratch debes comportarte como en todas las redes sociales: nunca compartas información personal o fotos con personas que no conozcas.

Verás que una vez que hayas publicado tus primeros dos proyectos, otros Scratchers vendrán a visitar tu perfil. Por ello siempre es bueno poner un texto que les de la bienvenida.

Para ello, haz clic en la caja que dice 'About me', acerca de mi, y escribe algo sobre los proyectos en los que estés trabajando. ¡Escribe algo divertido!

This is how my account is looking like so far. Soon, you will have all your shared projects showcased on your profile so that others can see and play with them.

Abajo te muestro mi cuenta como luce ahora. Pronto tendrás todos tus proyectos en tu perfil para que otros puedan verlos y jugar con ellos.

FOLLOW OTHERS TO GET NEW IDEAS

Personally, I recommend following the programmers which you like the most, and selecting your favorite projects with the 'star', as it will show them all on your profile, making them easier to find and access.

Later you will learn about a tool known as 'remixing'. It consists of improving upon other people's projects, so having a list of projects that you already like will be useful towards this.

Of course, it is also beneficial to save projects when you see certain aspects that you would like to incorporate or copy into your own games, in order to not forget where you came across these ideas.

In the world of programmers, taking ideas from others is also a good way to learn and a clear benefit of the community. That is why; working in teams with others is better than alone.

This practice of having access to the work of others and being able to copy and improve it, is what we call "open source". It is not only that you can copy other's work; it is actually something positive for the community, because in this

SIGUE A OTROS PARA CONSEGUIR NUEVAS IDEAS

Una buena idea es seguir a aquellos programadores que más te gustan, seleccionando tus proyectos favoritos con una estrella para poder verlos cuando quieras en tu perfil.

Más adelante en este libro aprenderás a usar una herramienta que se llama 'remixing', para mezclar, que te permite tomar el proyecto de otro y modificarlo todo o en parte para hacerlo tuyo.

Por eso es una buena idea marcar con una estrella aquellos proyectos que te gusten mucho. También es bueno tener a mano los proyectos que te han gustado más para poder copiar ideas de ellos.

En el mundo de la programación, copiar ideas es una forma de aprender, y un claro beneficio de formar parte de una comunidad. Por ello, trabajar en equipo con otros es siempre mejor que hacerlo solo.

A esto de poder acceder al trabajo de otros y utilizarlo para tus propios proyectos es a lo que se llama "open source", que es una forma de decir "fuente abierta", porque no solamente se permite copiar y mejorar el trabajo de way we all get better results, and the collective effort produces much better output than any of us working alone.

otros, sino que es deseado, pues así se consiguen mejores resultados, y el esfuerzo de todos resulta siempre mejor que el de nuestro trabajo individual.

2 CREATE YOUR CHARACTERS

CREA TUS PERSONAJES

THE MAIN CHARACTERS: THE SPRITES

Let's return to the project we had started working on, and improve it slightly with more complex coding mechanics.

LOS PERSONAJES PRINCIPALES: LOS 'SPRITES'

Regresemos al proyecto en el que estábamos trabajando para mejorarlo un poco con código más evolucionado.

Last time we were here, you learned how on the left of your screen you have a series of colored circles which each leads to a unique set of coding blocks. However, the scratch workshop offers a vast array of other useful tools that you should take to your advantage. Lets apply some of these tools to improve your first ever scratch project!

La última vez habíamos visto que en la izquierda de tu pantalla había una serie de círculos de colores, y que cada uno presentaba una serie diferente de bloques para programar. Además de los diferentes tipos de bloques, el 'workshop' de Scratch te ofrece muchas otras herramientas que puedes usar. ¡Vamos a probarlas en tu proyecto!

A key element that we will learn more about, are the Sprites. You can find almost everything you need to do with Sprites in the bottom right of your screen.

Un elemento muy importante del que aprenderemos más son los 'Sprites'. Casi todo lo que tiene que ver con ellos lo encontrarás en el espacio abajo a la derecha de tu pantalla.

Let's start by name your cat something cool. I'm going to name mine Catku! Let's also take the chance to make him a little bit smaller, maybe 50 pixels big.

Empecemos por darle un nombre guay al gato. Al mío he decidido llamarle Catku. Aprovechemos también para hacerlo un poco más pequeño, por ejemplo de 50 píxeles.

Pixels are the smallest unit of measure of the screen, and it is the way many professional coding languages measure objects in the screen, in 'pixels'. Try using the image below to help guide you.

Los píxeles son la unidad de medida más pequeña de la pantalla, y es así como casi todos los lenguajes profesionales de programación miden las cosas, en "píxeles". Usa la imagen de abajo como guía.

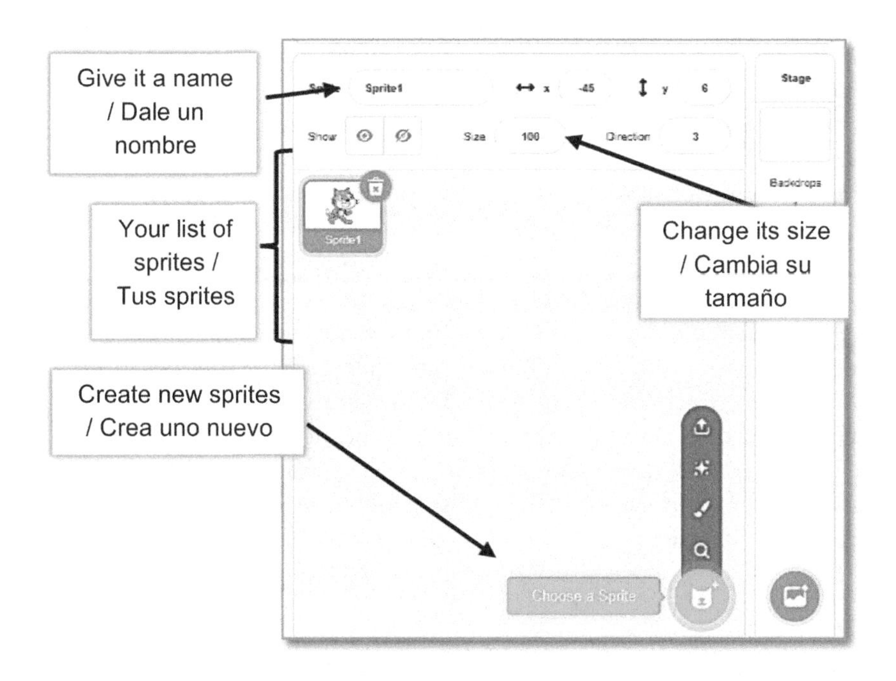

See how he gets smaller and his name changes?

¿Has visto cómo cambia su tamaño y también su nombre?

Apart from changing their size, we can also customize our Sprites. On the top left of your screen, just below the blue navigation bar, there is an option in the form of a tab to select costumes. This will change your entire screen into a Sprite editing area. Now, on the bottom left, hover over the blue cat logo. From here you can choose a new Sprite from the ones offered by scratch, paint your own, or upload one from online.

Además de cambiarle el tamaño, también podemos personalizarlo. Si miras arriba de todo a la izquierda de tu pantalla, justo abajo del menú azul, hay una pestaña que se llama 'costumes', disfraces. Esto hará que toda la pantalla se transforme en un área de edición de Sprites. Prueba pasar el ratón por encima del gato azul abajo a la izquierda. Aquí puedes elegir un nuevo Sprite, dibujar uno, o importar uno ya hecho de tu ordenador.

I made my own by adding to the official cat from Scratch some fancy long and pointy hair in many

Yo hice uno que es el gato oficial de Scratch al que le he agregado colors. I wanted it to look like a Japanese Manga character. That's why I called it Catku, it sounds more Japanese to me! If you want to use my Sprite it is very easy; you can download it to your computer from our website which is scratchcodingbook.com.

pelo largo de colores y en punta como los personajes de Manga en los comics japoneses, ¡y por eso es que le he llamado Catku! me suena más japonés ese nombre! Si quieres usar mi Sprite es muy fácil; lo puedes bajar desde la página web del libro, en scratchcodingbook.com.

Once you are done, you can delete the old costumes by selecting them on the top left and clicking the trash bin icon. You should now be left with your brand new Sprites. Well done! Now, lets return to the 'Code' section by on the left of 'Costumes'.

Una vez que hayas seleccionado el que quieres usar, puedes borrar los que no uses seleccionándolos y haciendo clic en el botón con el cesto de basura. Regresemos a la sección de 'Code' en la pestaña de arriba junto a la de 'Costumes'.

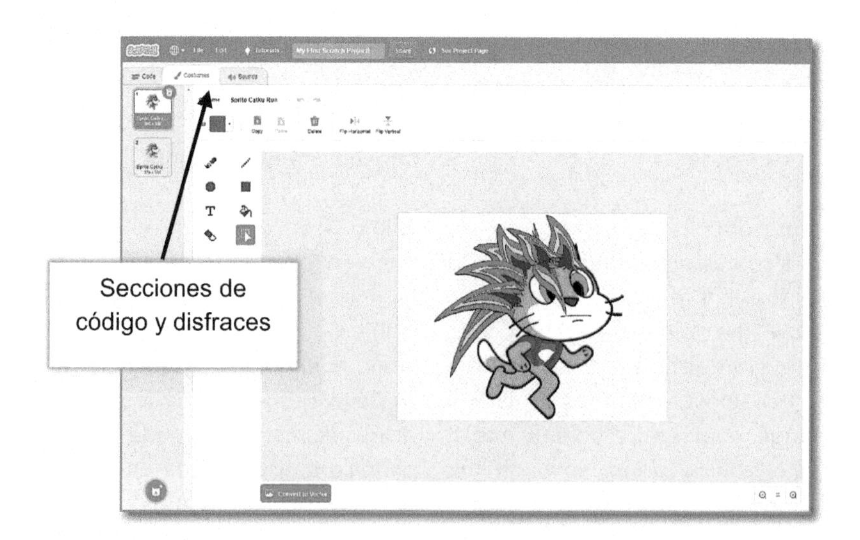

CODING THE GAME MECHANICS!

PROGRAMANDO LA MECÁNICA DEL JUEGO

So far, you coded it so that the cat moves every time you click on the green flag. However, as you know,

Hasta ahora, has diseñado el código para que cada vez que hagas clic sobre la bandera verde in most normal games we move the characters using the arrow keys. So, try and see if you can code it adding the necessary blocks so that when you press the right arrow key, the cat moves to the right like usual. You are going to need to return to the 'Events' section.

el gato se mueva. Sin embargo, como sabes, en la mayoría de los juegos se mueve al personaje utilizando las flechas del teclado. Prueba ver si logras agregar los bloques para que el gato se mueva con el teclado. Tendrás que regresar a la sección de 'events', eventos.

It may look difficult but it's actually quite simple, you'll see. All you have to do is to replace the 'When green flag clicked' block with the 'When space key pressed' block, and then change 'space' for 'right arrow' using the drop-down menu.

Try pressing the right key and see if the cat moves as expected!

Es muy simple, ya verás. Lo que tienes que hacer es reemplazar el bloque 'When green flag clicked' (al hacer clic en la bandera verde) por el de 'When space key pressed' (cuando se presiona la tecla de espacio). Y luego debes cambiar la palabra 'space', espacio, por la de 'right arrow', fleche derecha. ¡Presiona la flecha a ver si se mueve el gato!

Now, lets use the 'when green flag clicked' block, but for a different purpose. Let's make it so that we reset the game every time we click the green flag, so it acts like a start button.

Return to the 'Motion' section and drag the 'go to x: __ y: __' block onto the canvas below the green flag block. Change the numbers of the 'x' and 'y' to be 0 and 0.

Essentially, the number that you put for 'x' will be the Sprite's position horizontally, so a negative number will be to the left, and a positive number will be to the right. The number that you put for

Ahora usemos el bloque de la bandera verde pero para otra finalidad: resetear el juego como si fuese un botón de 'start', comenzar.

Regresa a la sección de 'motion', movimientos, y arrastra el bloque de 'go to x: __ y: __' y ponlo debajo del de la bandera verde. Pon un cero en el valor de 'x' y de 'y'.

El número que pongas en 'x' será la posición horizontal del Sprite, donde los valores positivos estarán a la derecha y los negativos a la izquierda del centro de la pantalla. La posición vertical 'y' will be its position vertically, so a negative number will go down and a positive number will go up.

Now, when you click the flag he will go to x:0 and y:0; which is in the exact center of the screen!

será el valor que pongas en 'y'.

Ahora prueba presionar la bandera, y verás que cada vez que lo hagas, el gato volverá a la posición de x:0; y:0 que es exactamente el centro de la pantalla.

THE CAT THAT TILTS

Remember that the when the cat moved it also tilted? Now we can also reset his tilt every time you click the green flag. Let's give it a try!

To do it, simply drag the 'point in direction' block below your green flag block. This will change its direction to 90 degrees, which is looking to the right.

If you want to change where he looks at when you click the green flag simply change the number from 90 to something else.

The overlay shows you what direction each degree represents as shown below.

This is what your code should look like so far:

EL GATO QUE GIRA

Fíjate que cuando el gato se mueve, también gira. Ahora vamos a tratar de lograr que cada vez que presiones la bandera verde el gato se enderece.

Para lograrlo, arrastra el bloque de 'point in direction', apuntar en una dirección, y ponlo justo debajo del de la bandera. Esto hará que gire 90 grados.

Si quieres cambiar la dirección en la que apunta, simplemente cambia el valor de 90 por otro número.

Debajo del bloque verás un gráfico que te muestra la dirección a la que apuntará el gato.

Abajo puedes ver como debe quedar el código hasta ahora.

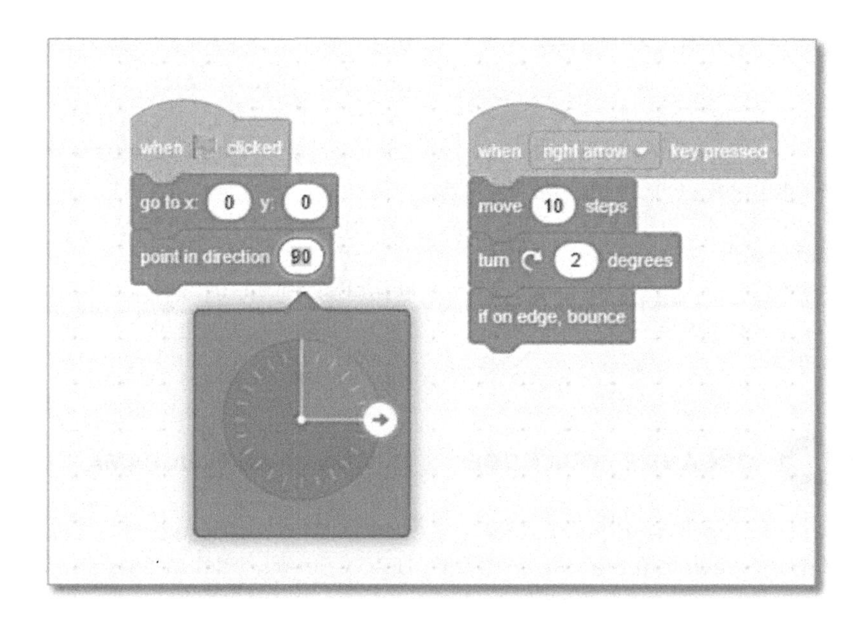

Check if your code works so far. Press the right key to move forwards and press the green flag to start the game again.

Prueba si tu código funciona. Presiona la tecla de la flecha para mover al gato, y luego la bandera verde para resetear el juego.

OTHER MOVEMENTS

OTROS MOVIMIENTOS

So far, the cat is able to move only forwards, but in most games, movement works both forwards and backwards. Let's code it so that he can move in all directions!

Hasta el gato se mueve solamente hacia adelante. ¡Aprendamos a programarlo para que se pueda mover en todas las direcciones como en todos los juego!

To do so, you want to right click on the group of blocks that code his movement. This will open up a panel where you have to select duplicate.

Haz clic con el botón derecho del ratón sobre el grupo de bloques de movimiento, lo que abrirá una caja en la que tienes que seleccionar 'duplicar'.

Now, with your duplicated block,

Así de simple, en el bloque

we can simply reverse the settings to get it to move to the left.

First of all change it from 'right arrow' to 'left arrow'. Then, change the amount of steps to '-10', so that it moves left instead of right. It is that simple.

Try using the arrows and see if it works!

duplicado, puedes cambiar donde dice flecha derecha 'right arrow' por 'left arrow', flecha izquierda. Luego al número de pasos le cambias el signo de positivo a negativo, así se moverá a la izquierda. Es así de simple.

¡Prueba ahora utilizar las flechas para mover el gato a ver si funciona como esperabas!

ORGANIZE YOUR CODE

A useful tip is to right click on an empty space on the canvas with the code of blocks and select 'Clean up Blocks' which will organize your entire coding workshop for you. Try it!

To finish off, you could even change the angle of turn to '-2' instead of '2', so it turns in the right direction as well.

ORGANIZA TU PROGRAMA

Una buena idea es hacer clic con el botón derecho del ratón sobre un espacio vacío de la caja con tu código y elegir la opción 'Clean up blocks'. ¡Pruébalo, verás como se organiza tu programa!

Además, si quieres probar, puedes cambiar el signo del ángulo de giro de '2' a '-2' para que gire en la dirección correcta.

Your code so far should look similar to this:

Tu código debería ahora verse de la siguiente manera:

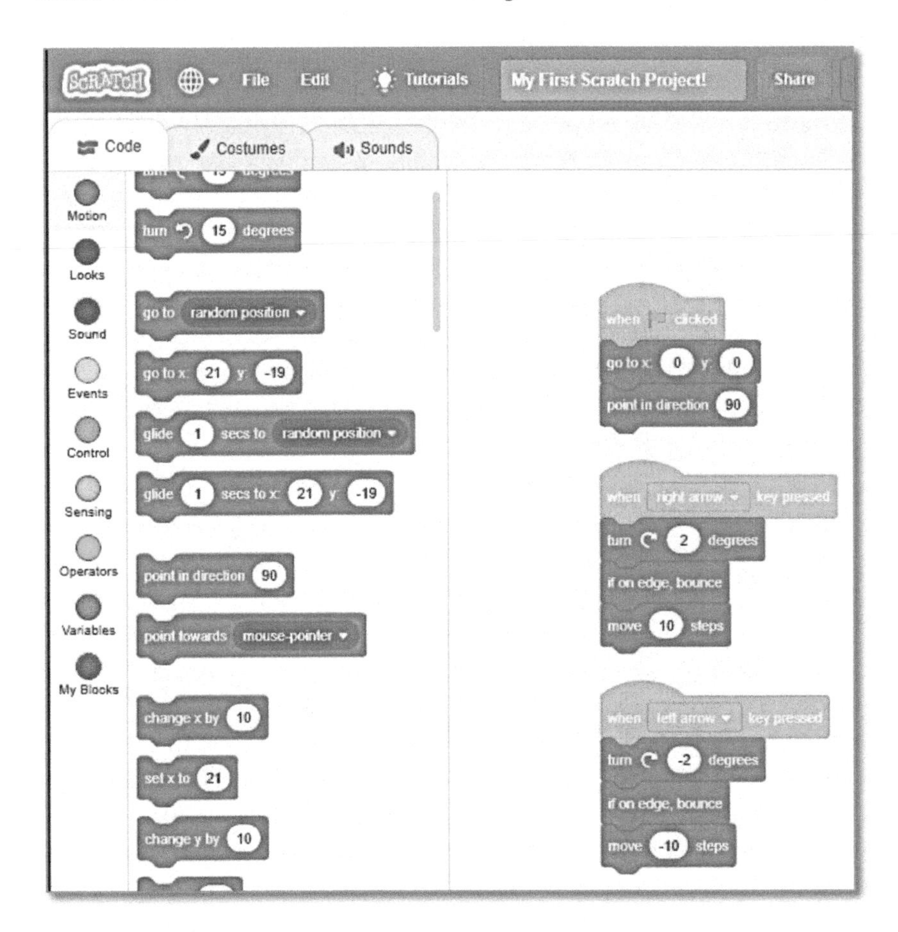

ROTATING YOUR CHARACTER

ROTANDO TU PERSONAJE

So far we have programmed it so that the cat rotates as you move, which works well but it doesn't provide you with much control.

Hasta ahora nuestro programa hace que el gato gire cada vez que se mueve, lo cual está bien pero no te da mucho control.

How about we program it so that instead, when you press the 'up arrow' he tilts upwards and when you press the 'down arrow' he tilts

¿Qué te parece si programamos para que se gire con las flechas del teclado hacia arriba y abajo?

downwards?

To do it, simply follow the same structure as before and move the 'turn 2 degrees' block under the up arrow block, and the 'turn -2 degrees' block under the down arrow block.

Para lograrlo, tan solo sigue la misma lógica que hemos aplicado antes, y mueve el bloque de 'gira 2 grados' debajo del bloque de la flecha hacia arriba, y el bloque de 'gira -2 grados' debajo del bloque de la flecha hacia abajo.

Also, we can put the 'if on edge, bounce' block at the end of each of these sets of blocks to make sure the cat stays in the box.

Además, podemos poner debajo de cada set de bloques hacia arriba y hacia abajo el bloque de 'if on edge, bounce' (rebota contra el borde), para cada movimiento.

However, there is a shortcut to not have to repeat it all the time. Can you figure it out?

Sin embargo, hay una forma de ahorrarse repetir este paso cada vez. ¿Sabes cuál es?

Don't worry of this at first sounds complex. I will add below how the code and blocks should look like so you can just copy. But let's give it a try.

¡No te preocupes si parece difícil, al final verás cómo tienen que quedar tus bloques y lo podrás copiar!

Hint: Check out the 'Control' section, using the 'forever' block is your key to success in this case.

Pista: Fíjate en la sección de 'Control', y usa el bloque 'forever', (por siempre), para lograrlo.

Solution: Drag the 'forever' block from the 'Control' section onto your canvas below the 'when green flag clicked' block. Then, move one of the 'if on edge, bounce' blocks inside the 'forever' block's empty slot as if you are completing a puzzle. Notice how it just slots in perfectly.

Solución: Arrastra el bloque 'forever' de la sección de 'Control' y ponlo justo debajo del bloque 'when green flag clicked'. Luego arrastra uno de los bloques 'si en borde, rebota' dentro del lugar vacío del bloque 'forever' como si estuvieras completando un puzle. Encajará perfecto.

You can add as many blocks as you wish inside commands 'forever' and similar ones found in

Puedes meter tantos bloques como quieras dentro del comando 'forever' y otros similares que hay the 'Control' section. You can simply delete the rest of the repeated 'if on edge, bounce' blocks that are not in the 'forever' block.

en la sección 'Control'. Puedes borrar los bloques 'if on edge, bounce' que no estén en el bloque 'forever'.

Try out your finalized code, you can now move with the side keys and tilt with the up and down keys as you please, with your cat never leaving the screen.

Prueba tu código terminado, podrás mover al gato con las flechas y darle la dirección que quieras, y verás que nunca se sale de la pantalla.

This is what our final code looks like:

Así es como debería verse tu programa ahora:

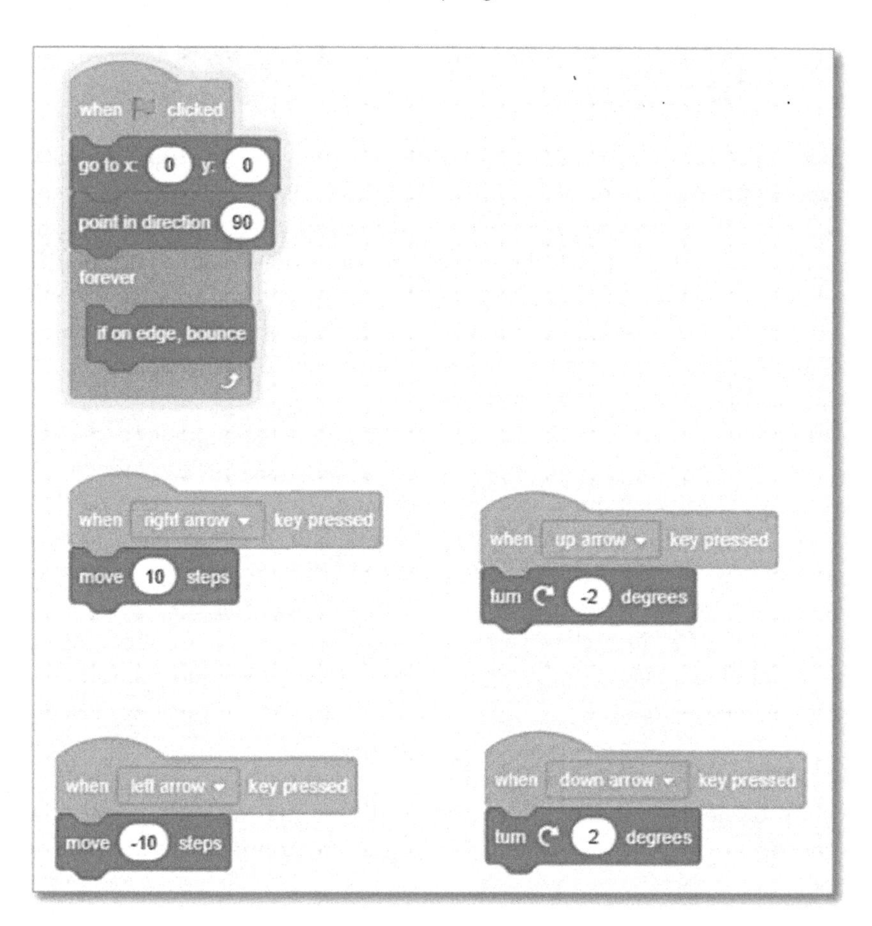

CREATE YOUR OWN CHARACTER (SPRITE)

It is perfectly fine to download our Sprites or to use the ones that Scratch offers, but eventually you might prefer to make your own.

To paint your own Sprite, return to your 'costumes' and click on the blue circle with a cat on the bottom left. A vertical menu will pop-up, and there you can click on the "paint" brush as shown below.
To get your character to look like it is moving, you will need at least two frames.

Simply select paint again to add a new 'frame'. For example, if you check my Sprites, I always draw one first, and then copy to a second frame, just changing for example the position of the legs to simulate movement.

I will cover later how to make sure your game knows how to make the Sprite alternate between the two frames.

CREA TU PROPIO PERSONAJE (SPRITE)

Está genial que utilices el Sprite de este libro, o los que ofrece Scratch, pero quizás quieras probar hacer uno tuyo propio.

Para dibujar tu propio Sprite regresa a la pestaña de 'costumes' (disfraces) y haz clic sobre el gato azul que verás abajo a la izquierda. Un menú vertical aparecerá como se ve en la imagen abajo, y debes seleccionar 'paint' (dibujar).

Para que parezca que tu personaje se mueve, necesitas al menos dos 'frames' (cuadros). Haz clic en 'paint' una vez más para agregar un cuadro. Si miras mis Sprites, todos tienen dos cuadros, que en realidad son el mismo dibujo, donde todo lo que cambio son por ejemplo la posición de las piernas.

Explicaré más adelante cómo usar un Sprite con dos cuadros que se alternan.

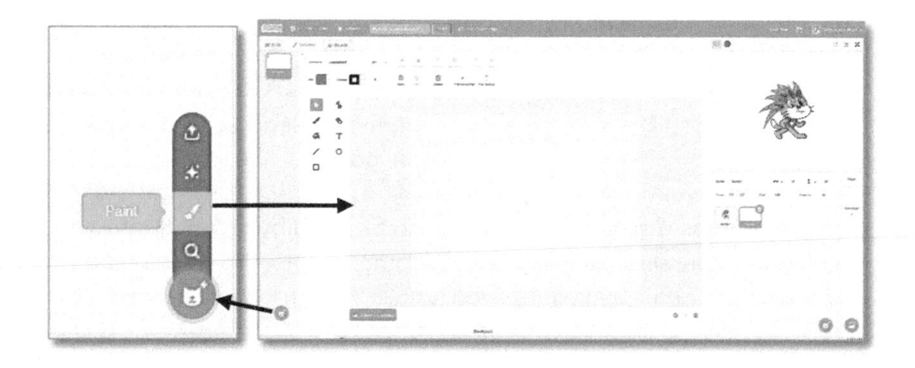

The Sprite creation workshop offers you a vast array of different tools that you can use to create and polish your own Sprites. On the left, you have most of your drawing tools; these are:

- Click
- Click & Drag
- Paint
- Erase
- Fill
- Add Text
- Draw a Line
- Draw a Circle
- Draw a Square

These tools are essential for any Sprite creation process. On the top of your screen, you will have other more complicated features that you can use. For instance, you can change the name of your costume.

A useful feature is the coloring, here you are provided with 'fill' and 'outline'. Essentially, when you draw or create a shape whatever you have selected as your fill color will be the main body color of your drawing

El taller de creación de Sprites ofrece muchas opciones y herramientas para crear y modificar tus diseños. A la izquierda tienes las herramientas para dibujar, que son:

- Click
- Click & Drag (arrastrar)
- Paint (dibujar)
- Erase (borrar)
- Fill (rellenar)
- Add Text (agregar texto)
- Draw a Line (dibujar línea)
- Draw a Circle (círculo)
- Draw a Square (cuadrado)

Estas herramientas son esenciales para dibujar un Sprite. En la parte superior de la pantalla, verás que hay opciones más complicadas. Por ejemplo, puedes cambiar el nombre del disfraz.

También muy útiles son las opciones de 'fill' (rellenar de color) y 'outline' (color del borde). Básicamente, el color que elijas para rellenar (fill) será el color de todo lo que dibujes, y lo mismo

and whatever you have selected as outline will be the color of its outline. Not all tools have both a fill and an outline, so keep that in mind.

Try to create your own Sprite and see how it turns out. Personally, I've created a purple slime! It is also very important to note that once you return to the 'Code' section the canvas will appear completely empty again. This is because, each Sprite has its own unique coding space, so whatever blocks you put there will only affect that specific Sprite.

In this case, since we just created a new Sprite, it automatically has it selected, and since we haven't coded anything for it yet, it's empty. To change the Sprite you have selected simply click on the one you want in the bottom left where you have your Sprite list.

pasará con el color del borde que hayas seleccionado. Ten en cuenta que no todas las herramientas te permiten elegir color del relleno o del borde.

Trata de dibujar un Sprite a ver cómo te sale. ¡Yo he dibujado un coso feo que se llama 'slime'! No te asustes si regresas a la sección de tu código (code) y ves que la pantalla de código aparece vacía. Esto es porque cada Sprite tiene su propio código, de manera que los bloques de código que pongas serán siempre específicos de cada Sprite.

En este caso, al haber creado un nuevo Sprite, todavía no tiene código propio. Puedes cambiar el Sprite seleccionando en la caja de abajo el que quieras, como se ve aquí abajo. Verás que en la caja están todos tus Sprites y cada uno con su código.

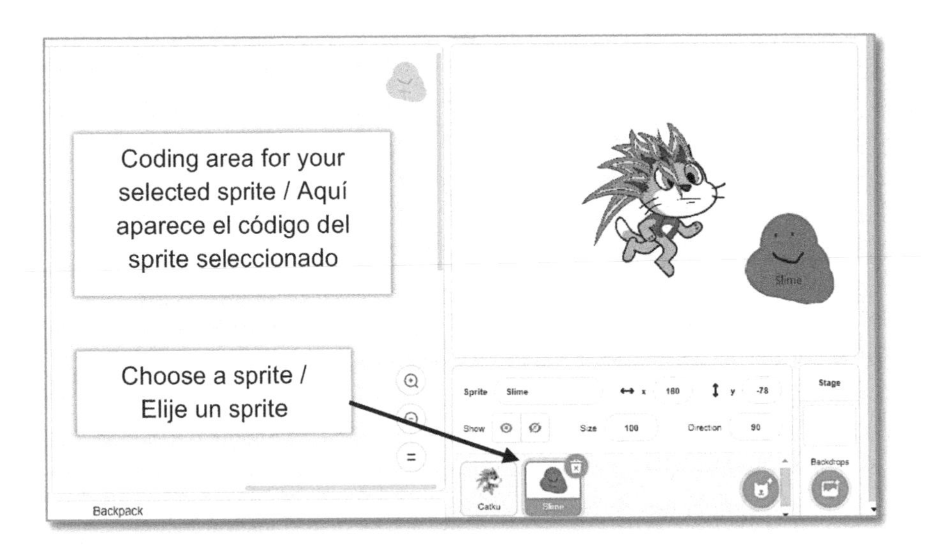

The current Sprite that you have selected is highlighted in blue and also shown in the top right of your canvas.

El Sprite que hayas seleccionado estará señalado en azul, y aparecerá en la esquina de arriba a la derecha de tu pantalla de código donde van los bloques.

3 SOUNDS & ANIMATION

SONIDOS Y ANIMACIÓN

ANIMATING YOUR SPRITE

An integral part of any moving Sprite in a game is its animation. Scratch offers simple animation mechanisms through the use of frames. For instance, the cat Sprite that Scratch provides you with already has two frames. Catku, which I made based on the original cat Sprite, also has two

ANIMANDO TU PERSONAJE

La animación es una parte integral de cualquier juego. Scratch ofrece animaciones simples a través del uso de 'frames' (cuadros). Por ejemplo, el Sprite del gato que Scratch te ofrece viene con dos cuadros. Catku, el que he creado usando de base al gato de Scratch, también tiene dos

frames where the only difference is the position of the legs to simulate walking.

By quickly transitioning from one frame to another you can create the impression that the Sprite is walking or running. The key to changing frames is using the block 'next costume' in the 'Looks' section. A frame and a costume both mean the same thing, but this is not to be confused with a backdrop, which refers to the background.

Simply drag the 'next costume' block underneath your movement blocks in your canvas. Now, when you move the cat sideways, it will walk, changing from one costume to the other every time you press an arrow key.

A MORE REALISTIC MOVEMENT

In my opinion, it changes from one frame to the other a bit too quickly, which makes the cat's movement animation look funky. To solve this, we need to make the cat wait for a short time between each frame change. Give it a try!

Hint: In the control section we have a block called 'wait _ seconds', using this block is one way to make your Sprite wait.

cuadros que son básicamente iguales donde la única diferencia es la posición de las piernas para simular movimiento.

Moviendo rápidamente de un cuadro a otro puedes crear la sensación de que un Sprite camina o corre. La forma de cambiar cuadros es usar el bloque 'next costume' (próximo disfraz) en la sección de 'Looks'. Un cuadro y un disfraz en este caso son lo mismo, pero no lo confundas con el fondo (backdrop).

Simplemente arrastra el bloque de 'next costume' debajo de los bloques de movimiento en tu código. Ahora cuando muevas el gato hacia los costados, verás que parece que camina, cambiando de un disfraz a otro cada vez que presiones la tecla de la flecha.

MOVIMIENTO MÁS REALISTA

En mi opinión cambia muy rápido de un cuadro a otro, lo que hace que el movimiento de la animación quede raro. Para solucionar esto, necesitamos hacer que el gato espere un poco entre cuadro y cuadro. ¡Inténtalo!

Pista: En la sección de control hay un bloque llamado 'wait__ seconds' (esperar_segundos), que sirve para que tu Sprite espere.

Solution: Drag one of these wait blocks underneath each change of costume blocks. Additionally, change the amount of seconds from 1 to 0.1 or any other low number. This will make it so that between each frame change and movement, your Sprite has a little pause that makes his walking pattern look more natural.

This is just an idea but you may like it. Usually, I also tend to reset the frame of my Sprite to the first one each time you press the green flag.

This makes the cat start standing up every time you boot up your game!

Below you can see how it should look like, it is quite simple. Put the block 'switch costume to ___' beneath your 'when green flag clicked' block. Then, select your first costume from the drop down menu.

Try pressing the green flag: now not only will his position and tilt be reset, but he will also return to the first frame of the costume. In general, remember that if you want to change anything to do with his frames or appearance, go to the purple blocks in the 'Looks' section.

Solución: Arrastra uno de esos bloques de espera debajo de cada bloque de cambio de disfraz. Además, cambia la cantidad de segundos de 1 a 0.1 o algún otro numero pequeño. Esto hará que entre cada cambio de cuadro tu Sprite tome una pequeña pausa que haga que su caminata parezca más natural.

Esto es solo una idea pero creo que te gustará. Usualmente, hago que el cuadro de mi Sprite vuelva al primero cada vez que se presiona la bandera verde.

Esto hará que el gato se vea de pie cada vez que comienzas el juego.

Abajo te muestro cómo deben quedar los bloques, es bastante simple. Lo primero es poner el bloque 'switch costume to ___' (cambia disfraz) debajo del bloque de la bandera verde. Después seleccionar tu primer disfraz en el menú desplegable. Ahora prueba presionar la bandera verde: verás que no solo su posición volverá al centro de la pantalla sino que además aparecerá con el primer cuadro del disfraz. Recuerda que si quieres cambiar algo relacionado a la apariencia del Sprite, mira los bloques morados en la sección 'Looks' (aspecto).

In case you are a bit lost, the code for your cat should look like this:

Si estás un poco perdido, el código del gato debería verse así:

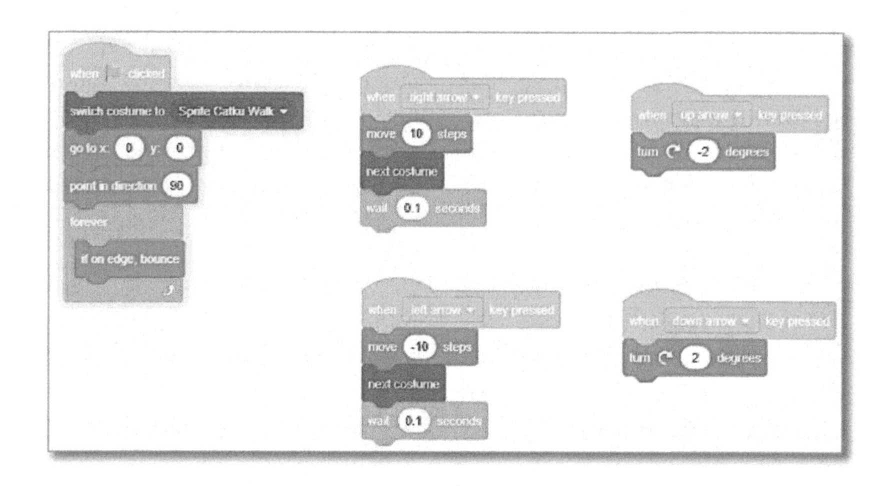

COLLISIONS BETWEEN SPRITES

CHOQUES ENTRE SPRITES

With any kind of game or project, we often have collisions. Collisions are essentially interactions between two Sprites or an element in the backdrop. In many games, collisions are done so that a Sprite can't go through walls, through the floor nor any other Sprites. In Scratch, Sprite allows you to trigger any other actions and decide what should happen upon sensing a collision.

Es normal que en los juegos haya choques. Los choques son básicamente interacciones entre dos Sprites o entre un Sprite y un elemento del fondo (backdrop) del juego. En los juegos optamos por generar choques cuando por ejemplo no queremos que un Sprite pueda atravesar una pared o a otro Sprite. En Scratch, los Sprites te permiten elegir lo que sucede cuando hay un choque.

In this case let's code a collision between the cat and the slime. Currently, the cat can just walk through the slime and they don't collide. So, first of all we have to make the slime be able to sense the collision. To do this, select the

Por ahora el gato puede atravesar el slime sin chocarse, así que programaremos para que esto no pueda suceder y en cambio se choquen. Para ello, tenemos que hacer que el slime sea capaz de sentir el choque. Selecciona de tu slime Sprite from your Sprite list in the bottom right, to add code specifically for this slime.

lista de Sprites abajo a la derecha al slime para poder agregar código especifico solo para él.

Now we have a new empty canvas specific for the slime Sprite to work with. To sense collisions we have to take the block 'touching ____?' from the 'Sensing' section. This block is slightly different from all the other ones. As you can see, it has a different shape, this one being more like a long hexagon than a normal block. Drag it onto the canvas. Now, using its drop down menu change it from sensing 'mouse-pointer' to sensing your first Sprite (the cat).

Ahora tenemos la pantalla de programación vacía para agregar bloques específicos para el slime. Ve a la sección de 'Sensing' (sentir) y selecciona el bloque 'touching __?' (tocando?). Verás que este bloque es un poco diferente, pues tiene más bien forma de hexágono alargado. Arrástralo a la pantalla de programación. Ahora usando el menú del bloque cámbialo de sentir el 'mouse-pointer' (la flecha del ratón) a que sienta tu Sprite (el gato).

Next, lets go to the 'Control' section and drag out the 'if __ then' block. This block is one of the most crucial foundations of coding in any programming language. Essentially, it triggers certain actions only if a specific event takes place. In this case, we want it to do something when the slime is touching the cat.

Luego, vamos a la sección 'Control' y arrastramos el bloque 'if__then' (si__entonces). Este bloque es crucial para todo tipo de lenguaje de programación pues desencadena acciones solo si pasa algo especifico. En este caso, queremos que haga algo cuando el slime está tocando al gato.

So, we simply drag the 'touching Cat?' block into the hexagonal area inside the 'if' block. Now, the block reads: 'if touching Cat then...'. So, anything that you put in the 'if' block, will occur as soon as the slime is touching the cat, similar to the 'forever' block that we used so that the cat can't ever leave the screen. To make sure that it works we can add the 'when

Para ello arrastramos el bloque de 'touching Gato?' dentro del de 'if__then'. Cualquier cosa que pongas en el bloque 'if', ocurrirá tan pronto como el slime este tocando al gato, similar al bloque 'forever' que usamos para que el gato nunca pueda salir de la pantalla. Para asegurarnos que funciona bien podemos agregar arriba el bloque de la bandera

green flag clicked' block on top like usual and also put the 'if_then' block inside of a 'forever' block so that it doesn't only work when you click the flag. It should look like this:

verde y también poner el bloque de 'if_then' dentro del bloque 'forever' como la ultima vez para que no solo funcione cuando hagas clic en la bandera. Tus bloques deben quedar así:

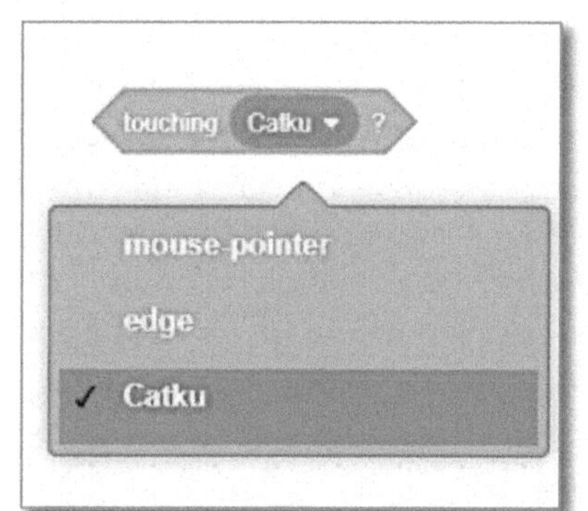

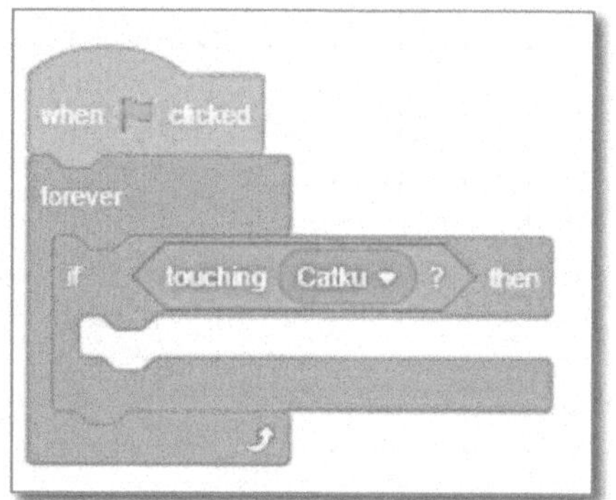

Perfect! Now we finally arrived at the fun part. We get to choose what happens when the collision takes place. The next few sections will show you these customizable options, pick and choose the ones that you like best.

¡Perfecto! Finalmente hemos llegado a la parte divertida. Ahora podremos elegir lo que pasa cuando haya un choque. En las próximas secciones te mostraré como elegir las opciones que te gusten más.

INTRODUCING SOUNDS

So, you want to add sounds when there is a collision? Great, to do that go to the 'Sound' section and drag the 'play sound ___ until done' block inside the 'if' block. We don't want the sound to be repeated on loop too fast so lets also add a 'wait 1 seconds' block below the sound block. All that is left now is choosing the sound that you want to play. The default sound is 'pop' but there are better options. On the top left, just to the right of costumes select 'Sounds'.

AGREGANDO SONIDOS

¿Quieres agregar un sonido cuando hay un choque? Genial, ve a la sección 'Sound' (sonido) y arrastra el bloque 'play sound___until done' dentro de el bloque 'if'. No queremos que el sonido se repita en bucle muy rápido entonces agreguemos el bloque 'wait 1 second' debajo del bloque de sonido. El sonido predeterminado es 'pop' pero hay opciones mejores. Arriba a la izquierda, justo a la derecha de los disfraces selecciona 'sounds'

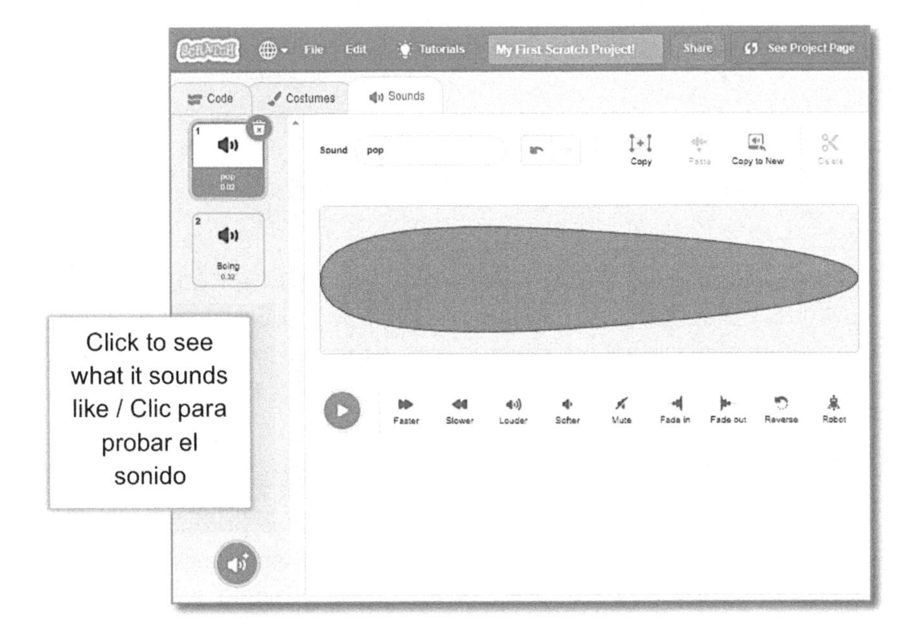

On the left you should see your list of sounds, for now only pop. The rest of the interface shows you a

A la izquierda encontrarás la lista de sonidos, que por ahora solo tienes 'pop'. El resto de la pantalla quick preview of what the sound you have selected sounds like, but for now don't worry too much about that.

To add a new sound, use the 'Choose a sound' button in the bottom left. Here you have a long list of options where you can navigate between the different types of sounds by using the blue navigation bar at the top.

Your options are:

- All
- Animals
- Effects
- Loops
- Notes
- Percussion
- Space
- Sports
- Voice
- Wacky

To preview a sound simply hover over the purple play button in the top right of each sound square. Then simply click the one that you prefer.

Personally, I'm going to choose the 'Boing' sound from the 'Effects' section as it is short and friendly. Once you have selected one or multiple sounds go back to the 'Code' section in the top right. Finally, using the drop-down menu, change your sound from 'pop' to whatever you chose.

te muestra cómo suena el sonido que has elegido y también alguna cosa más que usaremos más adelante.

Para agregar un nuevo sonido, debes usar el botón abajo a tu izquierda 'Choose a sound' (elige un sonido). Puedes navegar entre los diferentes tipos de sonido usando la barra de navegación azul que se encuentra arriba.

Tus opciones son:

- Todos
- Animales
- Efectos
- Bucles
- Notas
- Percusión
- Espacio
- Deportes
- Voz
- Chiflado

Para escuchar un sonido pasa el ratón por sobre el botón de reproducción morado arriba a la derecha de cada cuadrado de sonido.

Voy a elegir el sonido 'Boing' de la sección 'Efectos' porque es corto y agradable. Cuando hayas elegido uno o varios sonidos vuelve a la sección de 'Código' arriba a la derecha. Finalmente, usando el menú desplegable, cambia tu sonido al que más te guste.

LOOKS OF A SPRITE

Besides adding sounds, there is a lot you can change about the looks of a Sprite after a collision.

Lets try using the 'change size by __' block from the 'Looks' section. Place one of those blocks above the 'wait 1 seconds' and another one below it. Then, change the bottom block to say '-10' instead of '10'. Essentially, with this we are increasing his size upon the collision and then decreasing it to its original size a second after. This way, the slime also gets bigger as the sound gets played. Try colliding with the slime to see it for yourself, it's a really cool effect.

Another aspect we can introduce is the hide and show blocks. Replace the top 'change size by __' block with a 'hide block' and replace the bottom one with a 'show block'. Like this the slime will disappear and reappear when colliding with the cat.

We can also change the color of the slime using the 'change color effect by __' block. I changed the number from 25 down to 5 so that the color change isn't too fast.

Now, when you collide with the slime, he will get progressively lighter in its tone! You can also use

APARIENCIA DE LOS SPRITES

Hay muchas más cosas que se pueden cambiar en un Sprite cuando se produce un choque.

Usaremos el bloque 'change size by __' (cambio de tamaño) de la sección 'Looks' (apariencia). Pon uno de esos bloques arriba de 'espera 1 segundo' y otro por debajo. Cambia el bloque de abajo por '-10' en vez de '10. Con esto estamos incrementando el tamaño del slime cuando se produce un choque y después disminuyéndolo al tamaño original un segundo después. Haz que el slime choque para ver el efecto, es muy divertido.

También podemos utilizar los bloques de esconder y mostrar. Remplaza el bloque 'cambio tamaño' por el de 'esconder' ('hide block') y remplaza el de abajo por el de 'mostrar' ('show block'). Verás que el slime desaparece y reaparece cuando choca al gato.

También podemos usar el bloque de cambio de color ('change color effect by __'). He cambiado el numero de 25 a 5 para que el cambio de color no sea tan rápido.
Ahora el slime tendrá un color un poco más claro cada vez que le choques. También puedes usar el

the drop-down menu to apply other effect with this block.

menú desplegable para aplicar otros efectos con este bloque.

Perhaps you can try the fisheye effect with a magnitude of 10, this will make him inflate. Play around with the different effects, some can be very entertaining.

Prueba el efecto 'ojo de pescado' (fisheye) con el número 10, esto hará que se infle. Juega con los diferentes efectos, algunos son muy divertidos.

This is what my code and my inflated saturated slime is looking like so far:

Así es como mi código y mi slime inflado y decolorado lucen ahora:

ADDING SPEECH TO YOUR GAME!

AGREGAR DIÁLOGO A TU JUEGO

You might have noticed in the 'Looks' section the speech blocks. These are easy and intuitive to use. You have two options, either the 'say' block or the 'think' block. The only difference is the shape and style of the text bubble. You can customize the duration of the text and also its content by typing it

Quizás hayas observado en la sección 'Looks' los bloques de diálogo (speech). Son de uso fácil e intuitivo. Hay dos opciones, el bloque 'decir' (say) o el bloque 'pensar' (think). La única diferencia es la forma y el tipo de burbuja de texto. Puedes personalizar la duración y el texto tipiando dentro

into the two white slots like usual. Personally, I'm going to use the 'say Hello!' block as its nice and concise.

de los dos espacios blancos. Personalmente, Usaré el bloque 'decir Hola' (say hello) porque es amable y breve.

IMPACT AFTER A COLLISION

IMPACTO DESPUÉS DE UN CHOQUE

Finally, we have impact after a collision. We have two options: we can make it so that the slime moves upon impact, or that the cat moves upon impact; or why not, having both moving!

Finalmente, tenemos el impacto después de un choque. Tenemos dos opciones: podemos hacer que el slime o que el gato se muevan al impactar, o porque no, ¡que se muevan los dos!

To make the slime move we first need to add the 'if on edge' bounce block into the 'forever' block to make sure the slime doesn't go away too far.

Para que se mueva el slime necesitamos agregar el bloque de rebote 'if on edge' dentro del bloque 'forever' (para siempre) para que no se vaya lejos.

Then we can simply add the 'change x by 10' or 'move 10 steps' blocks. Personally, for this case I recommend using the first option as it guarantees it always moves to the right.

Podemos agregar el bloque 'change x by 10' (cambio x a 10) o 'move 10 steps' (mover 10 pasos). Es mejor usar la primera opción pues te garantizará que se mueva hacia la derecha.

The 'move __ steps' block simply means it always moves in front of it, which isn't always to the right.

Then to get the cat to move we can use a new type of block, known as the broadcast block. We can find this in the 'Events' section.

El bloque de mover pasos hace que siempre se mueva hacia adelante, y adelante no es siempre hacia la derecha. Para hacer que el gato se mueva podemos usar un nuevo tipo de bloque, conocido como 'broadcast block' (transmisión). Podemos encontrarlo en la sección 'Eventos'.

Drag it into the 'if' block. Then click on where it says 'message1' and

Arrástralo en el bloque 'if'. Luego haz clic en 'mensaje1' y agrega un add a new message. Name it 'collision!'.

nuevo texto. Llámalo 'choque' para recordar su función.

Essentially, what a broadcast does is sending a message to all other Sprites that something specific has happened. When other Sprites receive the message, this triggers a code that will make something happen.

Básicamente, lo que hace un 'broadcast' es transmitir un mensaje a todos los otros Sprites de que algo específico ha sucedido. Luego los otros Sprites, al recibirlo, pueden activar un código para que pase algo.

So, now we can return to our Cat Sprite's code by selecting it from our list of Sprites in the bottom right.

Ahora podemos regresar al código del Sprite gato seleccionando de nuestra lista de Sprites abajo a la derecha.

Now we can add the block 'when I receive collision!'. Anything we add underneath it will happen as soon as the message is sent. Underneath it lets add 'change x by -10'.

Podemos agregar el bloque 'when I receive collision!' (Cuando recibo choque!). Todo lo que agreguemos debajo se activará al recibir el mensaje. Debajo de esto agreguemos 'cambio x de -10'.

Additionally, you can add any of the other aspects that you learnt in the previous sections like making him say something, change his

Además, puedes agregar otras funciones que hayas aprendido en la sección anterior como hacer que diga algo, cambie su aspecto, looks or play a sound.

This is what you should have inside the code of the slime spite (left) and the cat Sprite (right):

o que emita un sonido.

Así debería verse tu código dentro del Sprite 'slime' (izquierda) y del Sprite del gato (derecha):

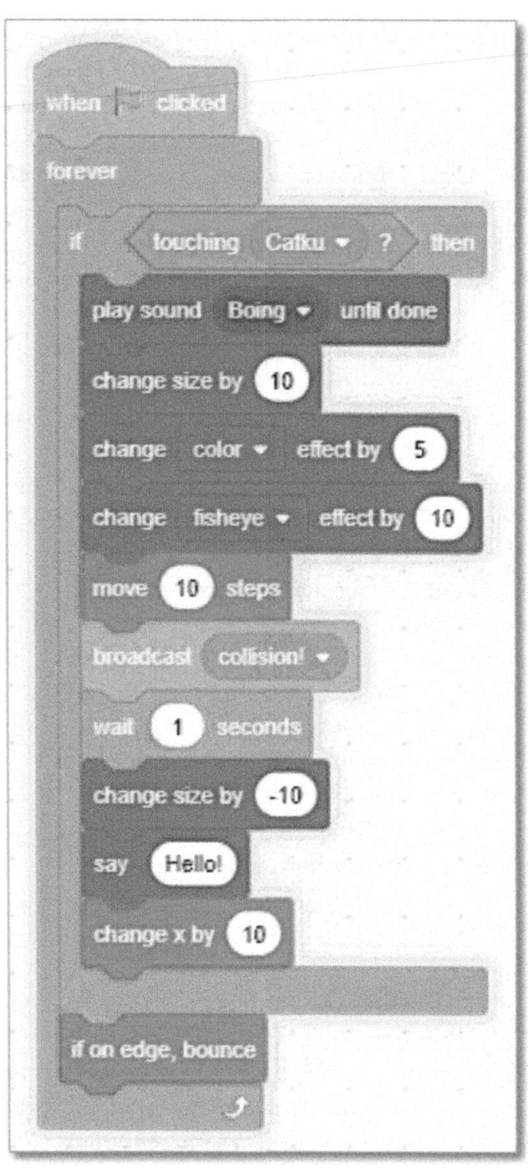

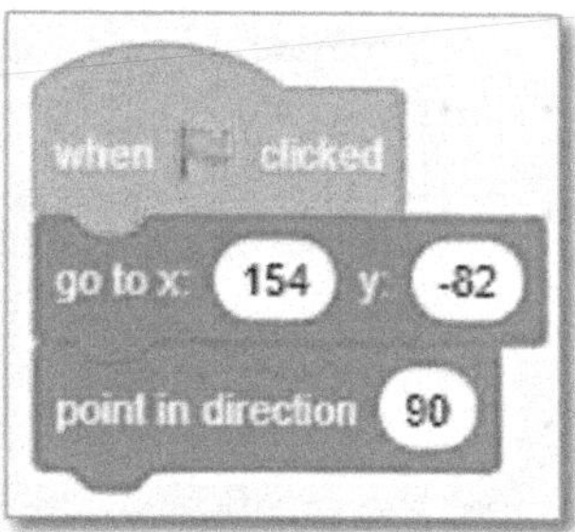

GET THE SLIME BACK TO THE STARTING POSITION

COLOQUEMOS AL SLIME DE NUEVO ENO SU LUGAR

Remember how we made it so that when you clicked the green flag it resets the position of the cat? Well, now that we made the slime move maybe its smart to reset the slime's position as well!

¿Recuerdas como lo hicimos para que cuando hagas clic en la bandera verde se restablezca la posición del gato? Ahora que hicimos que el slime se mueva, a lo mejor sería una buena idea restablecer también su posición.

Inside the slime's code add another 'when green flag clicked' block. Then, using the same concept as last time, make it so that the position of the slime and his tilt are reset.

En el código del slime agrega otro bloque 'cuando bandera verde es cliqueada'. Después, usando el mismo concepto de la última vez, haz que la posición del Slime y su inclinación sean restablecidas.

Optionally, you could add the 'point in direction __' block inside the 'forever' block so that the slime simply never tilts in the first place.

Opcionalmente, puedes agregar el bloque 'point in direction __' (apuntar en una dirección) adentro del bloque 'forever' para que el slime nunca se incline, así no necesitarás restablecerlo.

That way, resetting it afterwards won't be necessary. The 'if on edge, bounce' block often flips around the Sprite which changes its tilt, so by forcing the tilt to stay the same we are preventing this from happening.

De esta manera también evitamos el efecto del bloque de rebote 'if on edge, bounce' que a menudo voltea el Sprite cambiando su inclinación.

Remember that all of these tools…

- Sounds
- Looks
- Speech
- Impact

Estas herramientas...

- Sonido
- Aspecto
- Lenguaje
- Impacto

…are useful under many different circumstances and they don't only have to be used for collisions. For instance, using the 'say' block you

…pueden ser útiles bajo muchas circunstancias y no solo tienen que ser usadas para choques. Por ejemplo, usando el bloque 'decir' could get the cat to greet you when you start the game by clicking the green flag.

tu puedes hacer que el gato te salude al empezar el juego cliqueando la bandera verde.

4 PROFESSIONAL TOUCHES

DETALLES MÁS PROFESIONALES

ADDING A BACKDROP TO YOUR GAME

With any game or project in Scratch it is important to make it look as professional as possible, so that once it is published and other people see it, you can be really proud of your work.

AGREGAR UN FONDO DE PANTALLA A TU JUEGO

Cada juego o proyecto en Scratch es esencial que parezca lo más profesional posible para que cuando sea publicado y otras personas lo vean, te sientas orgulloso de tu trabajo.

One key aspect to achieve this is adding a background! To add a background simply click on the pop-up menu on the bottom right of your screen.

Un aspecto importante para conseguir esto es agregar un fondo. Simplemente cliquea en el menú desplegable arriba a la derecha de tu pantalla.

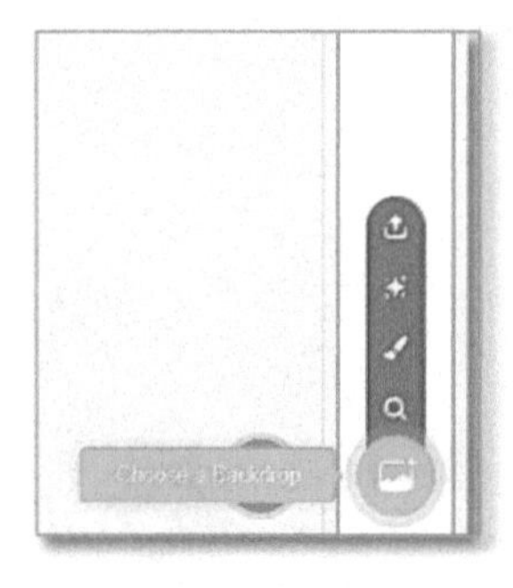

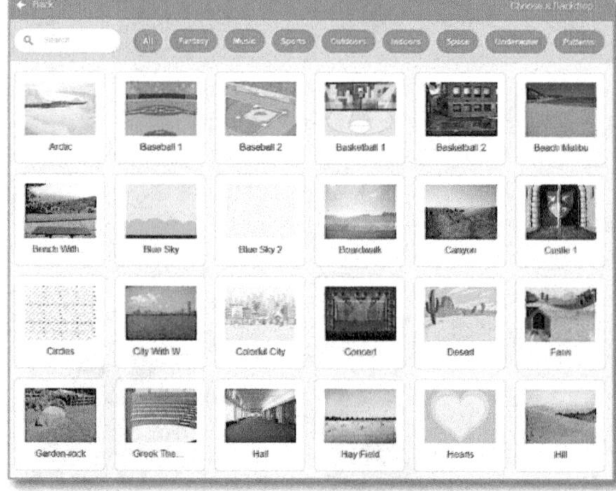

This will bring you to an interactive page showing all of the different preset backdrops that Scratch has prepared for you. You can navigate through the different sections using the buttons on the top of your screen labeled:

- Fantasy
- Music
- Sports
- Outdoors
- Indoors
- Space
- Underwater
- Patterns

Esto te llevará a una pantalla interactiva mostrándote todos los diferentes tipos de fondos que Scratch tiene para ti. Puedes navegar las diferentes secciones usando los botones en la parte de arriba de la pantalla.

- Fantasía
- Música
- Deportes
- Exteriores
- Interiores
- Espacio
- Bajo agua
- Patrones

This can help you find a backdrop more catered to your liking. I have chosen the Blue Sky background for now.

Esto te pude ayudar a encontrar un fondo a tu gusto. Yo elegí por ahora el fondo de cielo azul.

SIMULATING GRAVITY IN YOUR GAME

It might sound very complicated, but in Scratch creating a very basic form of gravity for your Sprites is not too difficult. In fact, in the last chapter you learned how to make your Sprite interact with other Sprites. Well, interacting with the backdrop is quite similar.

So, let's see if you can manage to make your Sprite both fall when in the air, but also not going through the floor. As always, don't you worry, I always include an example of how the code should look like.

Hint: You are going to need to go to the 'sensing' section and use the block 'touching color _?'. Using this block your Sprite will be able to tell if it is in contact with the ground.

Then, to detect if it is not touching the ground maybe you could use the 'not _' block in the 'Operators' section. As with many others, these blocks are going to need to be inside larger 'if _' blocks and an encapsulating 'forever' block.

Solution: So, let's get going by first building the basic structure of our code. Drag a 'forever' block underneath a 'when green flag clicked' block. Then drag 2 'if'

SIMULANDO LA FUERZA DE GRAVEDAD EN TU JUEGO

Puede parecer complicado pero en Scartch crear para tu Sprite una forma simple de fuerza de gravedad no es nada complicado. Has aprendido en el último capítulo como hacer que tu Sprite interactúe con otros Sprites. Pues interactuar con el fondo es bastante similar.

Veamos entonces si puedes hacer que tu Sprite caiga cuando esté en el aire, pero que no atraviese el piso. Pero no te preocupes, siempre incluyo un ejemplo de cómo queda el código al final.

Pista: Tendrás que ir a la sección 'sensing' y usar el bloque 'touching color _?' (tocar color). Usando este bloque tu Sprite podrá saber cuando tenga contacto con el suelo.

Para que detecte si *no* está tocando el suelo puedes usar el bloque 'not _' (no) en la sección 'Operators'. Como sucedió antes con otros, estos bloques deberán ir dentro de uno de 'if _' y todos encapsulados en uno de los bloques de 'forever'.

Solución: Lo primero que vamos a hacer es construir la base de nuestro código. Arrastra el bloque 'forever' por debajo de la bandera

blocks inside the 'forever' block. Now that we have the basic structure of the gravity code, we will work the details.

First of all, we need the Sprite to check if it is touching the ground of the game's background or not.

In the case that it is touching the ground, we need the Sprite to go slightly upwards, so that it stays sitting on the ground and does not go through it.

To check if it's touching the ground, we will use an "if' block. The Sprite will need to identify the exact color of the ground to know when it makes contact and to avoid confusion with any other element you may add to your game.

So, within the first 'if' block insert the 'touching color _?' block that you will find in the section "sensing" identified with a light blue color.

Now we need to set the color to precisely that of your ground using the pipet. To do this, just click on the pipet and hover over the ground of your game, and click there; it will copy the exact color (see example below).

verde. Luego arrastra dos bloques 'if' adentro del bloque 'forever'. Con esto tenemos montada la estructura que será la base para el código de la "gravedad".

Ahora necesitamos que el Sprite sepa si está o no tocando el suelo de tu juego.

En el caso en que esté tocando el suelo, necesitamos hacer que el Sprite suba un poquito para que parezca que se queda posado sobre el suelo, y no lo atraviese.

Para saber si está tocando el suelo usaremos un boque de 'if'. Necesitaremos que identifique el color exacto del suelo para saber cuando lo toque y para evitar confusiones con cualquier otro objeto que hayas agregado en tu juego.

Entonces, dentro del primer bloque 'if' inserta el bloque 'if touching color_?' (si toca el color_) de la sección 'sensores' de color azul claro.

Ahora necesitamos fijar el color exactamente al del suelo. Para ello haz clic sobre la pipeta y luego pasa el ratón por encima del suelo de tu juego, y vuelve a hacer clic allí. La pipeta copiará el color (mira el ejemplo abajo).

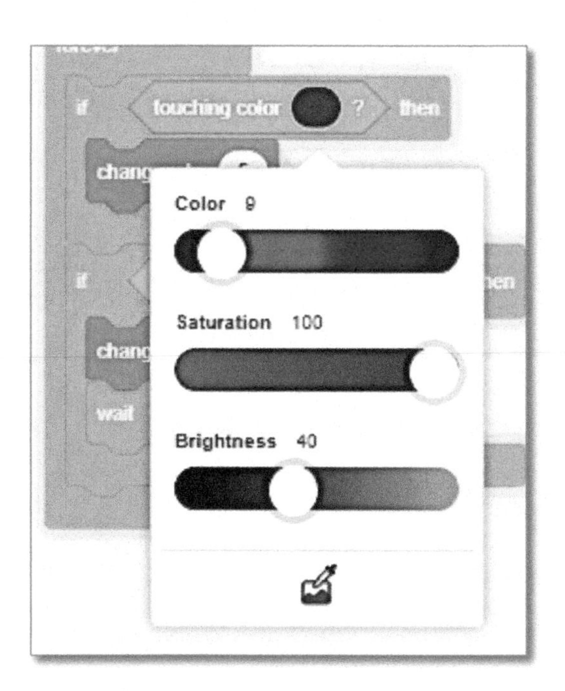

With this done, the Sprite now knows if it is touching the ground or not.

Con esto hecho, ahora tu Sprite sabrá cuando está tocando el suelo.

Then, you can simply add a block of those you find in the blue 'movement' section that make the Sprite move up or down. So drag a 'change y by _' block inside that 'if' block and set the value to 5. This will make it so that if your Sprite is touching the ground, it will move by 5 pixels upwards so that he doesn't fall through the floor.

Ahora puedes agregar un bloque que encontrarás en la sección azul de 'movimiento' para mover el Sprite hacia arriba y abajo. Arrastra el bloque de 'change y by _' dentro del bloque 'if' ('si') y pon el valor en '5'. Esto permitirá que si tu Sprite tocara el suelo, se moverá hacia arriba 5 píxeles y no se caerá.

So far, we have coded your blocks so the Sprite moves 5 pixels upwards when touching the ground. What we are missing now is to make it so that the Sprite falls down when it is **not** touching the

Hasta ahora lo que hemos programado es que el Sprite se mueva 5 píxeles hacia arriba cuando toque el suelo. Lo que nos falta ahora es hacer que el Sprite se caiga cuando **no** esté tocando el suelo (cuando está flotando).

ground (when it is floating).

So, in the other 'if' block we are going to do the same thing, except that the 'touching color _?' block will be inside a green '**not** _' block found in the 'Operators' section. This makes it so that now the Sprite will be constantly looking for when it is **not** touching the ground (when it is floating).

Inside this 'if' block add 'change y by -4' and 'wait 0.1 seconds'. The wait block is in the orange 'control' section. This will make it so that if your Sprite is not touching the floor (if it is floating), it will fall downwards as it happens with gravity.

Basically, what a 'forever' block does is that anything you put inside it will be constantly checked.

Similarly, anything within an 'if' block is waiting for a certain thing to happen (the Sprite touching the ground for example) before triggering everything within it once.

In our case, we need the Sprite to be constantly checking to see if it is in the air or not, which is why we use the 'forever' block. The 'if' blocks are waiting to be activated as soon as the Sprite is either floating or touching the ground.

En el otro bloque 'if' vamos a hacer lo mismo, excepto que el bloque 'tocando color estará dentro del bloque verde 'not_' ('no') que encontrarás en la sección de Operadores. Esto hará que el Sprite se fije constantemente si **no** está tocando el suelo (flotando).

Adentro del bloque 'if' agrega 'change y by -4' y 'wait 0.1 seconds'. El bloque de 'wait' (esperar) lo encontrarás en la sección anaranjada de 'control'. Esto hará que cuando el Sprite no toque el suelo, caiga como si hubiese fuerza de gravedad.

Básicamente lo que hace el bloque de 'forever' (por siempre) es que lo que pongas dentro de él será contantemente chequeado.

Lo mismo con el bloque 'if' (si): lo que pongamos dentro estará esperando que ocurra el evento señalado (que el Sprite toque el borde por ejemplo) para activarlo una vez.

Necesitamos que el Sprite esté constantemente chequeando si esta en el aire; por eso usamos el bloque 'por siempre'. Los bloques 'if' están esperando ser activados en cuanto el Sprite este flotando o tocando el suelo.

Esto es definitivamente la pieza de

This is definitely the toughest piece of code that you have tried yet so if you are lost don't worry. Here is how your code should look like so far. If you aren't quite sure how to get there simply re-read this section using the image as your reference point.

código más complicada que has probado hasta ahora. Si te has perdido no te preocupes; así es como tu código debería ser hasta ahora. Si tienes dudas. Lee nuevamente esta sección usando las imágenes de abajo como referencia.

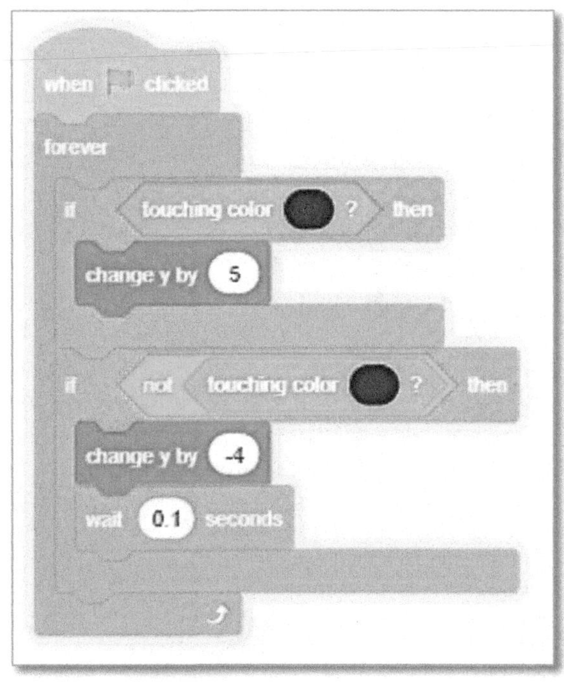

Makes it go upwards if touching the ground.

Makes it go downwards if **not** touching the ground

Now let's press play (the green flag) to see if your gravity works!

¡Ahora presiona play (la bandera verde) para ver si funciona!

MAKING GRAVITY EVEN MORE REALISTIC

CÓMO HACER LA GRAVEDAD AUN MÁS REALISTA

The basic setup for gravity that we have made works perfectly fine but if we play around with the numbers a little bit you will find certain combinations that make the gravity far more realistic.

La configuración básica para la gravedad que hemos hecho funciona bien, pero si jugamos un poco con los números podremos encontrar ciertas combinaciones que harán la gravedad más realista.

For example, currently the Sprite is constantly shaking up and down a little bit which isn't very realistic. To fix this, we simply need to make the 2 'change y by _' blocks equal and opposite. Personally, I found '5' and '-5' to be the optimal amounts. We can also go ahead and change the wait time to 0.01 seconds.

Por ejemplo, verás que el Sprite está constantemente moviéndose hacia arriba y abajo lo que no es muy realista. Para arreglarlo, necesitamos hacer que los 2 bloques 'cambiar y por_' tengan valores iguales y opuestos, por ejemplo '5' y '-5'. También podemos cambiar el tiempo de espera a 0.01 segundo.

One of the lessons we have learned is that in coding, often many of the decisions you make have pros and cons, and you have to decide which to prioritize. For instance, the larger the values of 'change y by_' are, the stronger and more realistic the gravity will be. However, at the same time the larger the values are, the less precise the Sprites collisions are.

Una de las lecciones que hemos aprendido, es que muchas de las decisiones que tomamos tienen ventajas y contras, y tendrás que elegir cual priorizar. Por ejemplo, cuanto mayor es el valor de 'cambiar y por_' más realista parecerá la gravedad. Sin embargo, cuanto mayores sean los valores, menos precisos serán los choques de los Sprites.

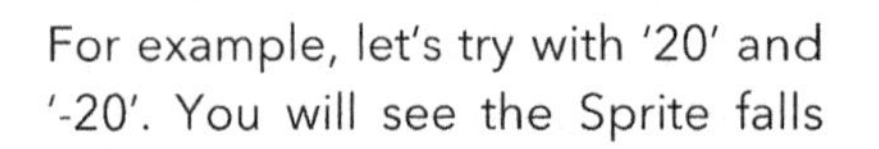

For example, let's try with '20' and '-20'. You will see the Sprite falls

Por ejemplo, prueba poniendo '20'y '-20'. El Sprite caerá muy very fast, but it will burry itself half way into the ground!

rápido, pero se enterrará en el suelo.

At the same time, the program itself has limitations, so making the wait time any smaller than 0.01 wont have any effect as Scratch isn't capable of processing such small time frames.

También el programa tiene sus limitaciones, por ello hacer que el tiempo de espera sea menor de 0.01 no tendrá efecto ya que Scratch no es capaz de procesar marcos de tiempo tan pequeños.

Thus, we must make a value judgment and decide what we want to prioritize and what we must sacrifice. Often, an adequate middle ground is the best option. And always remember that experimenting with the code, the blocks and the values is critical part of the process of learning.

Por lo tanto, nos toca hacer nuestro juicio de valor y decidir qué queremos priorizar y qué sacrificar. A menudo un término medio es la mejor opción. Y recuerda que en programación, experimentar con el código, los bloques, y los valores es una parte imprescindible del proceso de aprendizaje.

STARTING ON THE GROUND

EMPEZANDO DESDE EL SUELO

As a final extra addition, we could also make it so that our Sprites start on the ground when you press the green flag instead of being initially floating in the middle of the screen.

Como adición final, podemos hacer que nuestro Sprite comience en el suelo cuando presionas la bandera verde en vez de estar flotando en el medio de la pantalla.

Simply tweak the value of 'y' in your 'go to x: 0 y 0' block. Make it y = -70.

Simplemente ajusta el valor de 'y' en el bloque 'ir a x: 0 y 0'. Pon el valor de 'y = -70'.

You can also change the starting 'x' value of the cat to be '-100', so that he starts further back.

También puedes cambiar el valor de 'x' a '-100' para que el gato empiece más atrás.

Then, click on the slime Sprite in the Sprite list on the bottom right

Después cliquea en el Sprite del slime en la lista de Sprites abajo a and change its starting position to '-130'.

la derecha y cambia su posición de comienzo a '-130'.

Remember that the slime Sprite doesn't have the gravity code. But since it can only move horizontally, as long as it starts on the ground, it will always stay there.

No olvides que el slime no tiene el código de la gravedad, y solo se puede mover horizontalmente. Por ello siempre que comience en el suelo, se quedará allí.

As a quick reminder, remember that the 'x' value refers to the horizontal position and that the 'y' value refers to the vertical position of the Sprite.

Recuerda que el valor de la 'x' siempre indica la posición horizontal del Sprite, y el valor de la 'y' indica su posición vertical.

Now, your game should be looking far more complete!

¡Ahora, tu juego debería parecer mucho más completo!

YOU CAN MAKE YOUR CAT TALK!

¡PUEDES HACER QUE EL GATO HABLE!

A very cool feature embedded in Scratch is to make your Sprite talk, basically asking questions to the 'player' whose answers will be recorded and can later be used.

Una funcionalidad muy divertida de Scratch es la posibilidad de hacer que tu Sprite hable, preguntando algo al 'jugador' y guardando la respuesta para

Let's give it a try, it's really easy!

Go to the 'sensing' section and drag the 'ask ___ and wait' block underneath a new 'when green flag clicked' block. This will make it so that now any time that you start again, your Sprite will ask the player the question you choose. For now, we let's leave it as it is, with the question: 'What's your name?'.

Later, whenever you want, you can use this answer in your code by dragging the small 'answer' block in the 'sensing' section into a 'say block' (in the 'looks' section).

To make your Sprite say hello to the player, just drag the 'join' block from the 'operators' section into the 'say _' block. Then, write 'Hello' on the left space and insert the 'answer block' on the right space.

Your code should look like this. Try and see if it works!

usarla más tarde.

Ve a la sección 'sensores' y arrastra el bloque 'preguntar __ y esperar' debajo del nuevo bloque 'al hacer clic en la bandera verde'. Esto hará que cada vez que vuelvas a empezar el Sprite pregunte al jugador la pregunta que tú escojas. Por ahora, podemos dejarlo como viene, con la pregunta: '¿Cómo te llamas?'.

Puedes usar la respuesta en tu código arrastrando el bloque 'respuesta' en la sección de 'sensores' dentro del bloque 'decir' (de la sección de 'Apariencia').

Para que te diga 'hola' inserta el bloque 'unir' de la sección 'operadores' en el bloque 'decir_'. Luego, escribe 'Hola' en el espacio de la izquierda y pon el bloque de respuesta en el de la derecha.

Tu código debería verse así. ¡Prueba a ver si funciona!

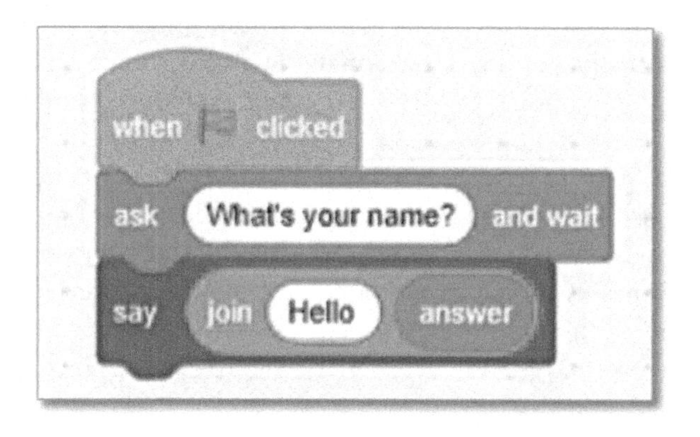

Additionally, you can click the checkbox to the left of the small 'answer' block in the top left to make the answer appear on screen.

Además, puedes cliquear la casilla que está a la izquierda del bloque 'respuesta' para hacer que la respuesta aparezca en la pantalla.

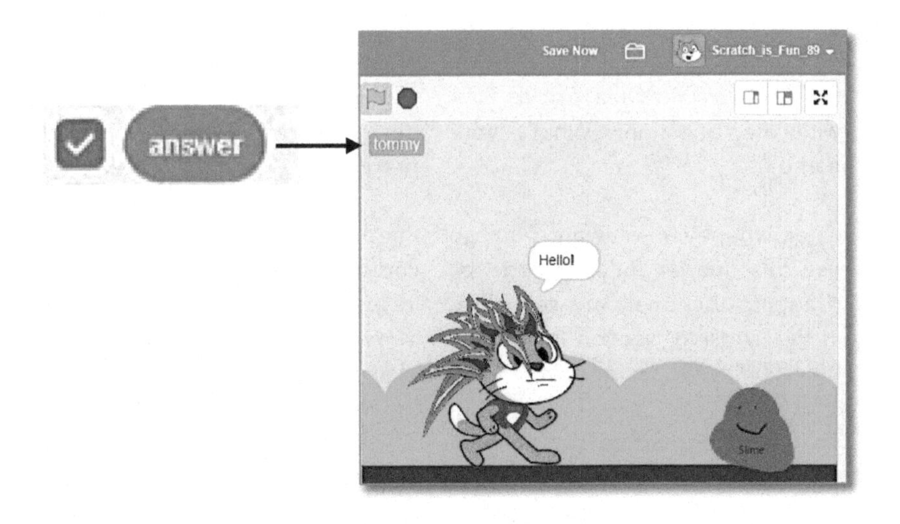

PUBLISHING YOUR PROJECT!

¡PUBLICA TU PROYECTO!

Look back at all the progress you have made! You have created a complete first project.

¡Mira todo el progreso que has hecho! Has creado tu primer proyecto completo.

Now you can add your final touches or try out any blocks that you had been hoping to use.

Ahora puedes agregar tu toque final o probar algún bloque que has estado deseando usar.

Use the various aspects that you have learnt so far to improve your first-ever Scratch project as you wish. Remember to experiment, click and drag different blocks, try multiple settings and see what happens.

Usa los diversos aspectos que has aprendido hasta ahora para mejorar tu primer proyecto de Scratch. Recuerda experimentar, arrastra bloques, cambia los valores y observa lo que sucede.

Then, when you are done with this, the first version of your first project, you can finally publish it for others to see and interact with! Don't worry, you can always come back and edit or improve your project even when it has already been uploaded. To publish your project, go to 'My Stuff' by clicking on your profile on the top right.

Luego, cuando hayas terminado, podrás publicar la primera versión de tu primer proyecto de Scratch para que otros lo puedan ver. Y no te preocupes, siempre puedes regresar y editar o mejorar tu proyecto incluso cuando ya esta subido. Para publicar tu proyecto ve a 'Mis cosas' cliqueando en tu perfil arriba a la derecha.

Then, click on your Scratch project. This is the page that everyone else will see when somebody interact with your project. On the left you have your project, which you can start by clicking on the large green flag. Underneath the project you will see how many likes, favorites, remixes and views it has.

Después, cliquea en tu proyecto. Esta es la página que todos verán cuando jueguen con tu proyecto. A la izquierda tienes tu proyecto, el cual puedes jugar cliqueando en la bandera verde. Debajo del proyecto verás cuantos 'me gusta', 'favoritos', 'remezclas' y vistas tiene.

Underneath that, you will be able to see comments as long as you keep them on, which you can toggle on and off whenever you want. Before you share your project, write some instructions on the right and also some extra information under Notes and Credits.

Debajo de esto verás comentarios siempre y cuando los mantengas activados (los puedes activar o desactivar cuando quieras). Antes de compartir tu proyecto escribe algunas instrucciones a la derecha y también información adicional en Notas y Créditos.

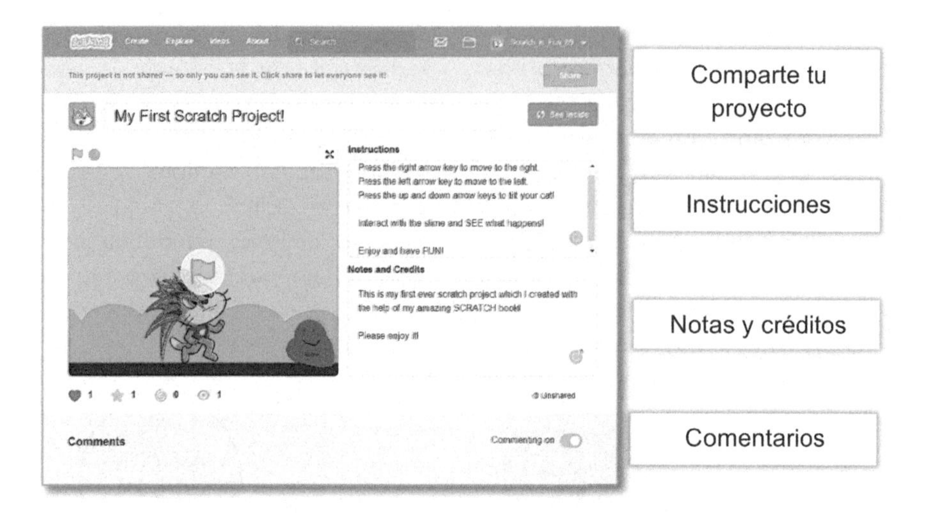

All that is left for you to do is click the large orange button that says 'Share' and your project will become open to the public.

Todo lo que te queda por hacer es cliquear el botón naranja que dice 'Compartir' y tu proyecto estará abierto al público

If you want to continue editing your project, click on 'See Inside'.

Para continuar editando tu proyecto cliquea en 'Ver adentro'.

REMIXING PROJECTS

REMEZCLANDO PROYECTOS

As I mentioned briefly before, you can remix a project even if you are not the author. This essentially means taking a project someone else made and trying to improve it or add your own unique flair to it.

Como ya mencioné brevemente, puedes remezclar un proyecto. Lo que significa esto esencialmente es que puedes tomar un proyecto que hizo otra persona y probar mejorarlo o darle tu estilo.

Remixing projects is a great way to learn more complicated coding, especially now that you are just starting. That's the reason why we say that coding is a team sport when you use what is call 'open source', a code that anybody can

Remezclar proyectos es una buena manera de aprender códigos complejos, sobre todo ahora que estás empezando. Por esa razón decimos que cuando usamos código abierto (open source), la programación es un deporte de use and improve. In this case, you can benefit from code written by others with solutions you can learn how to use by simply copying and experimenting.

To remix a project simply find one that you like and click the green 'Remix' button on the top right.

Once inside, you can edit it as you would normally code your own project. Once you do that, the project will appear in your profile. If you decide to click 'See Inside' on someone else's project, you will be allowed to edit it but anything you do will be there only temporarily, and remember, it won't be saved.

The 'See Inside' feature is a good way to check out a project that you thought was interesting and see the code behind how it works, learn, and eventually copy.

equipo; es decir un código que cualquiera puede usar y editar. Así, podrás usar el código de otros y aprender copiando y experimentando.

Para remezclar un proyecto, busca uno que te guste y cliquea en el botón a la derecha.

Cuando estés dentro, puedes editarlo como cuando programas tu proyecto. Verás que el proyecto aparecerá en tu perfil.
Si decides cliquear 'Ver dentro' en el proyecto de otra persona, se te permitirá editarlo, pero recuerda que lo que hagas no se guardará, es decir desaparecerá una vez que salgas.

La opción de 'Ver dentro' es una buena manera ver cómo está programado un proyecto que veas interesante, y de copiar para aprender.

NIVEL 5 DE EXPERIENCIA CON TU SEGUNDO JUEGO YA LISTO. ¡QUÉ RÁPIDO HAS AVANZADO!
1 2 3 4 5

5 THE DOVE AND THE DRAGONFLY

LA PALOMA Y LA LIBÉLULA

AN ACTUAL GAME!

Now that you have finished your first full scratch project, it's time to swiftly move on to making your first game!

What differentiates a project from a game you may ask? Well, not much actually, but a game just needs an actual objective to reach, like a challenge.

For example, reach an objective or a destination; earn coins or points or anything else that the player has to try to reach.

Fortunately for us, Scratch has a feature to implement points into your game very easily. This is called 'variables', and its one of the last 'sections' on the left of your coding screen that we haven't used yet.

You will learn how to use this soon. For now, let's first create the game.

¡UN JUEGO REAL!

Ahora que has terminado tu primer proyecto en Scratch, es momento de avanzar y hacer tu primer juego!

Te preguntarás en que se diferencia un proyecto de un juego. No mucho, pero un juego necesita un objetivo que alcanzar, un desafío.

Por ejemplo, alcanza un objetivo o un destino, ganar monedas o puntos o cualquier otra cosa que el jugador tiene que probar alcanzar.

Por fortuna, Scratch tiene una función para implementar puntos en tu juego muy fácilmente mediante una 'variable' (la sección naranja a la izquierda de tu pantalla de código que no hemos usado aún).

Ahora, vamos a crear un juego en Scratch. Cliquea 'nuevo proyecto'

Click 'new project' in your 'my stuff' section.

en tu sección 'mis cosas' al lado de tu perfil.

The game you're going to make will to be like most other games, movement based. In this case, the player will be a dove trying to chase down a dragonfly. To make this game it we are going to use many of the basic coding aspects that you have already learnt!

El juego que harás será como la mayoría, basado en movimiento. El jugador será una paloma persiguiendo a una libélula. Para hacer este juegos usarás muchos de los principios básicos de programación que ya has aprendido.

So, first of all lets get the Dove Sprite ready. Delete the preset cat by clicking on the little bin on the top right of the Sprite. Now, add a new Sprite and search for a dove.

Primero, tengamos listo el Sprite de la paloma. Borra el gato cliqueando en la papelera arriba a la derecha del Sprite, y agrega uno nuevo. Busca una paloma.

Sometimes it can be quite daring to start a new project from scratch but you will get the hang of it!

Quizás creas que es difícil empezar un proyecto desde el principio, ¡pero ya te acostumbrarás!

ANIMATING YOU SPRITE

ANIMANDO A TU SPRITE

Remember that we learned on chapter 3 that a Sprite needed more than one frame to give the illusion of movement. For example, the cat has frames with the legs in different positions, so that when you go from one frame to the other, it seems it is walking.

Recuerda que en el capítulo 3 hemos aprendido que un Sprite necesitaba más de un cuadro para dar la ilusión de movimiento. Por ejemplo el gato tiene dos cuadros con las patas en diferente posición. Así, cuando pasamos de un cuadro al otro, parece que camina.

Many of the Sprites in Scratch come with multiple frames already set up for you. The dove has this; so making it move its wings should just essentially be the same as you already learnt.

Muchos de los Sprites de Scratch vienen con varios cuadros listos para que los utilices. La paloma los tiene, así que verás que hacer que mueva sus alas será igual a lo que ya has aprendido.

This should be an easy challenge, try to see if you can remember how to do it. Practicing yourself to try and use some of the coding ideas that you have learnt can be a very effective way to learn. So, if at any point you want to try and see what you can make by yourself with what you have already learnt, go ahead. Anyways, let's see if you can code the movement of the dove.

Intenta ver si puedes recordar como hacerlo. Practicar tú mismo y probar hacer algunos de los códigos que has aprendido puede ser una manera muy efectiva de aprender. Si en algún momento quieres probar y ver lo que puedes hacer por ti mismo con lo que ya has aprendido, adelante. A ver si puedes programas el movimiento de la paloma.

Hint: As you might remember, you need to start your code with 'when green flag clicked'. Then you are going to need to use the large 'forever' block and the 'next costume' one from section 'Looks'.

Pista: Como recordarás, tienes que empezar tu código con el bloque de la bandera verde. Después vas a necesitar usar el bloque de 'por siempre' y 'nuevo disfraz' de la sección 'apariencia'.

Solution: As said, you will realize that we did this before. First you have to drag the 'when green flag clicked' block to your new empty canvas. Then add a 'forever' block underneath it. Within the 'forever' block add a 'next costume' and a 'wait __ seconds' block set to 0.1 seconds.

Solución: Primero tienes que arrastrar el bloque de la bandera verde a tu nueva pantalla de programación. Después agrega debajo el bloque 'por siempre'. Dentro del bloque 'por siempre' agrega el bloque 'nuevo disfraz' y el bloque 'esperar__segundos' con el valor de 0.1 segundos.

You might have realized that this is a slightly different approach than the one we took last time. This shows you how in Scratch or in any coding software you can do the same thing in many different ways.

Te habrás dado cuenta que este es un enfoque ligeramente diferente al que tomamos la última vez. Esto te muestra como en Scratch o en cualquier código puedes hacer lo mismo de maneras distintas.

In this case, to create the impression that the dove is flying, we need it to move its wings constantly. To do this, the Sprite will have to switch costume frames all the time.

En este caso, para hacer que la paloma parezca estar volando, necesitamos que mueva sus alas constantemente. Para ello, el Sprite tendrá que cambiar todo el tiempo el cuadro del disfraz.

This is how my code looks so far:

Así ha quedado mi código:

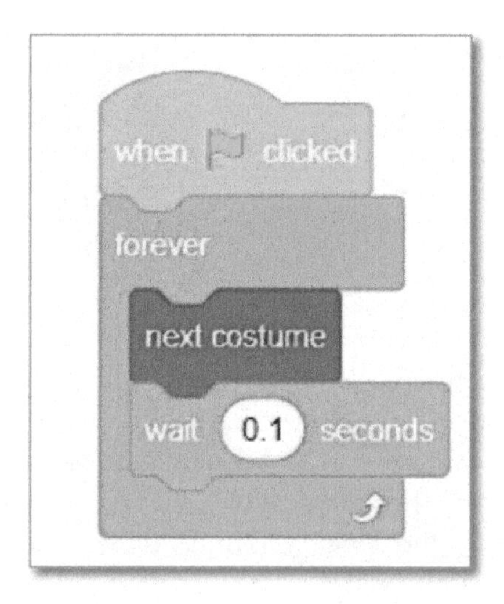

FINE-TUNING YOUR PROJECT

PEQUEÑOS AJUSTES A TU PROYECTO

Whilst you're coding any project you will often make minor tweaks here and there to best suit your preference. Fine-tuning is a lot about experimenting, trial and error, changing blocks or values and seeing what happens. This is

Mientras estas programando a menudo harás pequeños retoques aquí y allá para que todo funcione como más te guste. Hacer los retoques finales en un programa es también un tema de prueba y error, tomando riesgos,

how the best coders learn, they take risks, because by making mistakes is how you can improve your skills. So, if you try the game now and you think the bird is flapping its wings too fast or too slow, you know how to change it!

For example, as part of my own fine-tuning, I would like to make the bird a bit smaller, perhaps size 30 seems about right.

So, this is how the Sprite looks like now on my screen.

cambiando bloques y valores para ver qué sucede. Porque cometer errores también es parte del proceso de aprendizaje. Así que si pruebas el juego y piensas que el pájaro aletea muy rápido o demasiado lento, ya sabes cómo cambiarlo.

Por ejemplo, como parte de mis retoques finales, voy a hacer que la paloma sea un poco más pequeña. Probaré con la talla (size) 30. Así es como se ve el Sprite de la paloma en mi pantalla ahora.

FLYING FORWARD

If you drag a movement block onto the empty canvas and you click it, you will see your dove move sideways. With the cat it made sense, but doves fly forwards not sideways, so we better solve this fixing our code. We have a couple ways of fixing this. We can either use the 'point in direction' block (within the movement section) and set it to 180 degrees, or we can simply edit the Sprite.

To edit the Sprite, you have to click on the Sprite (you already have it selected) and then click 'costumes' on the top left. Once here, you want to select the entire dove. To select the dove you want to click and drag from the top left, all the way to the opposite corner. Then you need to rotate it using the little arrows right below the frame. Do this for both frames as shown below:

VOLANDO HACIA ADELANTE

Si arrastras un bloque de movimiento a tu pantalla vacía y lo cliqueas, verás a la paloma moverse de costado. Esto tiene sentido con el gato, pero las palomas vuelan hacia adelante y no a los lados. Para solucionarlo, podemos usar el bloque de 'apuntar en dirección' de la sección azul de movimiento y ajustarlo a 180 grados, o simplemente podemos editar el Sprite.

Para editarlo, tienes que cliquear en el Sprite (ya lo tienes seleccionado) y después cliquear 'disfraces' arriba a la izquierda. Para seleccionar la paloma cliquea y arrastra desde arriba a la izquierda de la paloma, hasta la esquina opuesta. Después tienes que rotarlo usando las pequeñas flechas justo debajo del recuadro. Haz esto para ambos cuadros como se muestra aquí abajo:

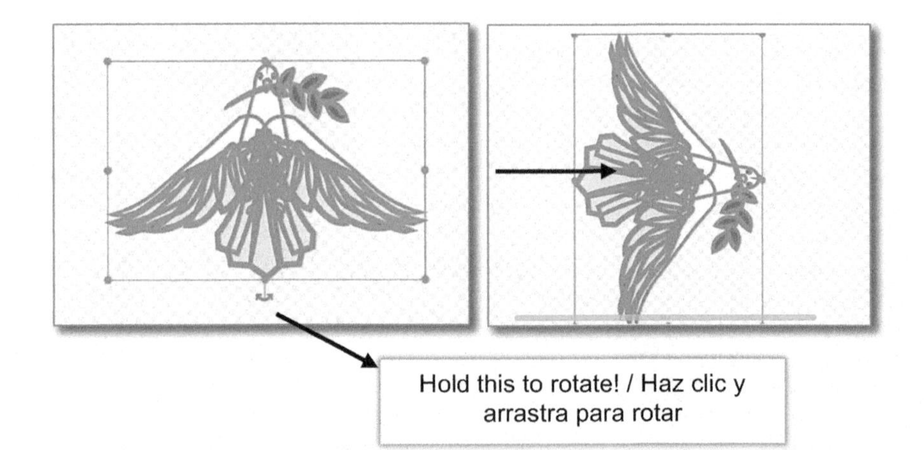

Now that you have rotated the dove, we can add 'point in direction 0' right below the 'when green flag clicked' so that the at least initially it will start upright.

Ahora que has rotado la paloma, podemos agregar 'apuntar en dirección 0' justo debajo de 'al hacer clic en la bandera verde' para que comience apuntando hacia arriba.

A MORE DYNAMIC MOVEMENT

UN MOVIMIENTO MÁS DINÁMICO

For this game, I want to take a more dynamic approach to movement. Thus, I want to make it so that the dove is always moving, and you get to steer it in different directions using the keyboard.

Para este juego vamos a adoptar un enfoque de movimiento más dinámico. Haremos que la paloma se mueva de forma constante, y que puedas dirigirla en diferentes direcciones con tu teclado.

Drag another 'when green flag clicked' block and put another orange 'forever' block underneath it. Inside the 'forever' block we are going to put a blue 'move 10 steps' block.

Arrastra otro bloque de la bandera verde y pon debajo de este otro bloque naranja de 'por siempre'. Adentro del bloque 'por siempre' pondremos el bloque azul 'mover 10 pasos'.

Now if you press the green flag you will see how the dove is constantly moving straight ahead (careful, don't let IT leave your screen!).

Ahora si presionas la bandera verde verás como la paloma se mueve constantemente hacia adelante (¡cuidado, no la dejes salir de la pantalla!).

To make sure you can get it back you can always add the 'go to x: 0 y: 0' block underneath any 'when green flag clicked' block.

Para asegurarte de que siempre regrese, puedes agregar el bloque 'ir a x: 0 y: 0' debajo de un bloque de la bandera verde.

Just make sure not to put it inside a forever block or the dove won't be able to move!

¡Asegúrate de no ponerlo dentro de ningún bloque 'por siempre' porque entonces la paloma no se moverá!

GETTING THE DOVE TO TAKE A TURN

Now let's try to make the dove take turns. You learnt how to do this in an earlier chapter, so how about you try and see if you can implement this yourself in order to practice?

Make the dove turn when you press the 'right arrow' and the 'left arrow'.

Hint: You will need use two 'if' blocks in order to detect when the arrow keys are pressed. Then, you can use the 'turn__degrees' blocks.

Solution: Inside the 'forever' block drag two 'if' blocks. In the first 'if' put a 'key_pressed?' block that you will find in the light blue 'sensors' section.

Select 'right arrow' in the drop down menu. In the second 'if' block do the same but for the left arrow.

Inside each of these 'if' blocks put a blue 'turn_ degrees' block. Use the block that turns to the right with the right arrow key. You can play around with the values until you like how it moves.

It is always the same: experiment with the values!

HACIENDO QUE LA PALOMA GIRE

Ahora hagamos que la paloma pueda girar. Ya que has aprendido a hacer esto en un capítulo anterior, ¿qué te parecer ver como implementarlo tu mismo para practicar?

Has que la paloma doble al presionar 'la flecha derecha 'y la 'flecha izquierda'.

Pista: Necesitarás usar dos bloques 'si' para detectar cuando las teclas de flecha son presionadas. También usa los bloques de 'girar__grados'.

Solución: Dentro del bloque 'por siempre' inserta dos bloques de 'si'. En el primer bloque 'si' pon un uno de '¿tecla_presionada?' de la sección 'sensores' (azul claro).

Selecciona "flecha derecha' en el menú de ese bloque. En el segundo bloque 'si' has lo mismo para la flecha izquierda.

Dentro de cada uno de esos bloques 'si' pon uno de 'girar__grados', Usa el bloque de girar a la derecha con la tecla de la flecha derecha.

Juega con los valores hasta que te guste cómo se mueve.

Remember that you can right click on a block to duplicate it, speeding up the progress!

Recuerda que puedes hace clic con el botón derecho del ratón para duplicar un bloque.

This is what I've gone for:

Así es como luce ahora mi código:

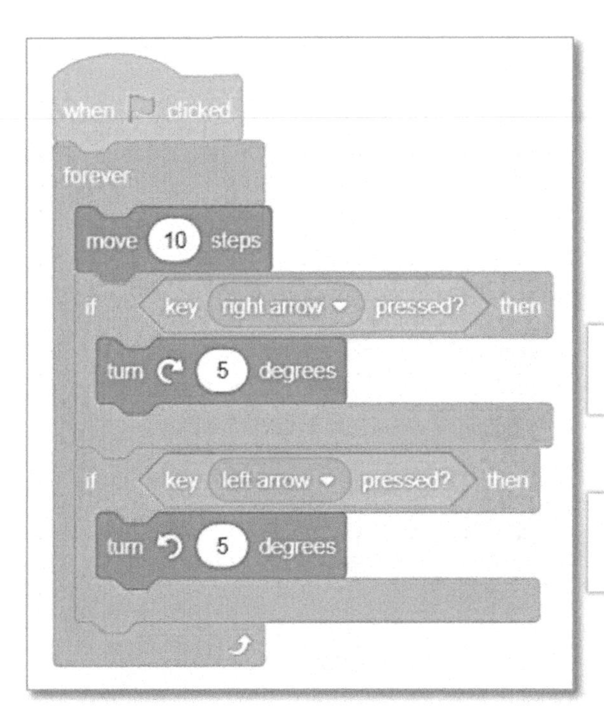

Gira la paloma a la derecha

Gira la paloma a la izquierda

ADDING A DRAGONFLY

AGREGANDO LA LIBÉLULA

As the name of the chapter suggests, this game is going to have two main characters, two different Sprites. As you get better at coding, you will quickly have games with several Sprites.

It will get hectic but super fun at the same time.

So, add the dragonfly the same

Este juego tendrá dos personajes principales, dos Sprites diferentes. A medida que aprendas a escribir códigos más complejos, diseñarás juegos con muchos Sprites.

Verás que esto hace a los juegos más alocados y definitivamente más divertidos.

Bien, ahora agrega la libélula de la

way as you added the dove. You could have chosen another Sprite but not all have several frames, and the dragonfly already comes with two of them, which is very useful.

misma manera que has agregado la paloma. Podríamos haber elegido otro Sprite, pero no todos tiene varios cuadros y la libélula viene con dos, lo cual es muy útil.

On the Sprite selection you can hover over a Sprite to preview its animation, which gives away if it has multiple costumes without you having to manually check.

En la pantalla de selección de Sprites, puedes pasar tu cursor por encima del sprite para ver si tiene animaciones (si tiene más de un cuadro).

We can also make the dragonfly smaller, as we did with the dove. For the dragonfly... maybe size 15 works because it has to be smaller than the dove to make it look more like in real life.

También podemos hacer a la libélula mas pequeña, como hicimos con la paloma...a lo mejor el tamaño 15 funciona porque tiene que ser más pequeña que la paloma para que parezca real.

The animation of the dragonfly will essentially be the same as that of the dove.

La animación de la libélula será esencialmente igual a la de la paloma.

So, a useful tip here is to simply copy over the coding blocks from the dove over to the dragonfly.

Lo más fácil es copiar los bloques de código de la paloma y pegarlos en la pantalla de código de la libélula.

To do this, select the dove Sprite on the bottom right, then grab your entire coding block that does the animation part and drag it onto the dragonfly Sprite.

Para ello, selecciona abajo a la derecha el Sprite de la paloma, y después arrastra el bloque entero de código que hace la parte de animación y pégalo en el Sprite de la libélula.

This will automatically copy it over.

Esto lo copiará automáticamente:

Now, go back to the dragonfly Sprite and your code should be here! We don't need it to start at x:0 and y:0 so we can remove that for the time being.

¡Ahora, regresa al Sprite de la libélula y tu código debería esta aquí! No necesitamos que empiece en x:0 y y:0 entonces podemos removerlo por ahora.

ROTATING THE DRAGONFLY

GIRANDO LA LIBÉLULA

With the dragonfly we can implement the same rotation of the Sprite as we did with the dove. Simply go to costumes and rotate the Sprites like you did last time. A different way to select the whole Sprite when you are editing its costumes is to maintain pressed the 'Control' key which will often look like 'Ctrl' on your keyboard, and then press 'A' once whilst you are still pressing 'Ctrl'.

Con la libélula podemos hacer la misma rotación del Sprite que hicimos con la paloma. Simplemente ve a disfraces y rota los Sprites como hiciste la última vez. Otra manera de seleccionar todo el Sprite cuando estás editando un disfraces es manteniendo la tecla de 'Control' que a menudo aparecerá como 'Ctrl' en tu teclado, y luego presiona una vez 'A' al mismo tiempo que presionas 'Ctrl'.

Actually, this works on other programs to so you can try it out!

Esto también funciona para otros programas, ¡pruébalo!

CLONING!

¡CLONEANDO!

In Scratch there is a feature known as 'cloning', which allows you to duplicate a Sprite automatically through code without having to make dozens of copies yourself. This is done using the 'create clone of__' block.

En Scratch hay una funcionalidad conocida como 'clonación' que permite en duplicar un Sprite automáticamente sin tener que hacerlo manualmente. Esto se hace usando el bloque 'crear clon de__'.

To do so, simply replace the 'when green flag clicked' (from your dragonfly Sprite's code) with a 'when I start as a clone' block found in the 'control' section. To break a group of blocks apart simply grab and move the blocks that you want to dethatch.

Simplemente reemplaza el bloque de la bandera verde (en el código de tu Sprite de libélula) por el bloque 'al comenzar como clon' en la sección 'control'. Para separar un grupo de bloques, simplemente agarra y arrastra los bloques que quieras separar.

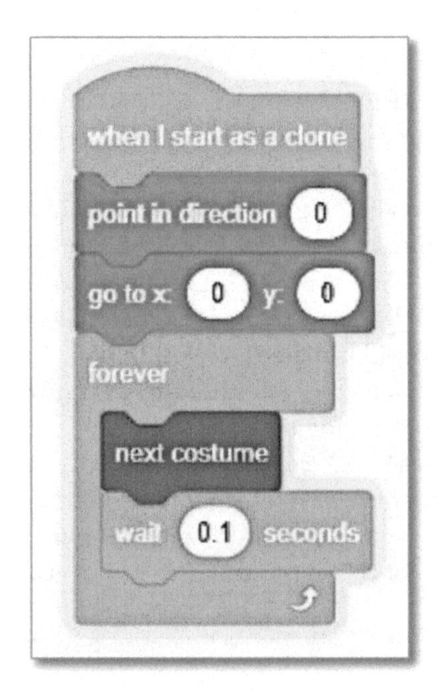

CODING THE BACKDROP OF YOUR GAME

In Scratch, not only does each of your Sprites have their own coding section, but your backdrop does too. To go there simply click on the bottom right of your screen where your list of backdrops will be present. You will see that a menu appears as you hover over the icon of the backdrop. Click on the magnifier icon and be amazed by the number of super cool backgrounds for your game.

If you remember, this is where we chose our backdrop last time and as you can see you can have many of them, which will all be shown there. You can alternate between them in the 'looks' section.

From the backdrop canvas we are going to add a 'when green flag clicked' block from the 'events' section. Then, underneath it as usual we can add a 'forever' block. Inside of it add a 'wait _ seconds' block and a 'create clone of Dragonfly' block that you will find in the 'Control' section with a drop down menu to select your Sprite. Set the wait time to 2 seconds.

This will essentially create a new clone of your Dragonfly Sprite every two seconds! Now, going back to your Dragonfly Sprite, we can add the 'go to random position' when it starts as a clone.

PROGRAMANDO EL FONDO DE TU JUEGO

En Scratch no solo los Sprites tienen su propia sección de código, pero tus fondos también lo tienen. Haz clic en la parte de abajo a la derecha de tu pantalla donde dice 'Escenario' y muestra opciones de 'Fondos'. Al pasar el ratón sobre el icono de fondos verás un menú desplegable. Haz clic sobre la lupa y verás la inmensa cantidad de fondos que hay para tu juego.

Si recuerdas, aquí es donde elegimos nuestro fondo la última vez y como puedes ver los encontrarás a todos allí. Puedes alternar entre ellos en la sección 'apariencia'.

En el espacio de código del fondo agregaremos el bloque de 'al hacer clic en la bandera verde' de la sección de 'eventos'. Debajo de éste podemos agregar el bloque 'por siempre'. Dentro de éste agrega el bloque 'esperar _ segundos' y el de 'crear clon de la libélula' que encontrarás en la sección naranja de control. Elige 2 segundos como el tiempo de espera.

Esto creará un clon del Sprite de la libélula cada dos segundos. Volviendo al Sprite de la libélula ahora podemos agregar 'ir a posición aleatoria' cuando comienza como un clon.

Click the green flag to see if it works! You should quickly see a lot of dragonflies appearing on your screen. Just in case, your code in the backdrop section should look like this:

¡Cliquea la bandera verde para ver si funciona! Deberías ver que muchas libélulas comienzan a aparecer en tu pantalla. Por las dudas, tu código en la sección del fondo debería ser así:

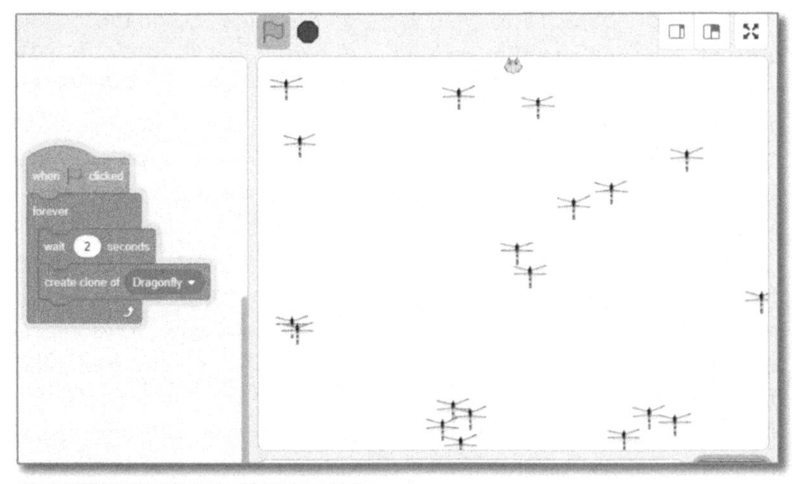

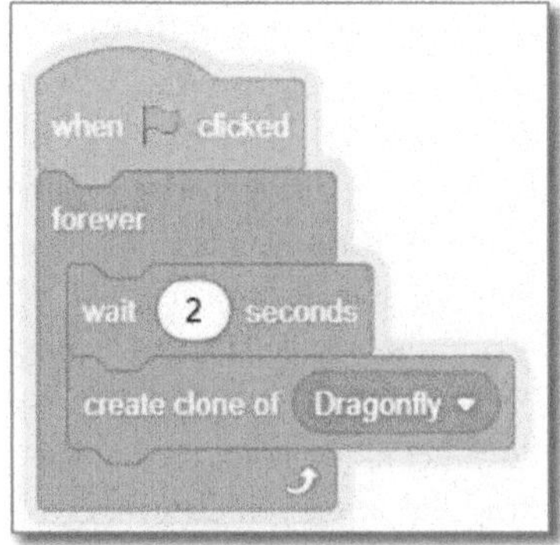

At this point, we have done almost all of the preparation to add the actual point system. Next chapter, you will learn how to use variables to give the game a sense of purpose and spice it up! Are you ready?

Llegado a este punto hemos terminado con casi toda la preparación para agregar el sistema de puntaje. ¡En el próximo capítulo, aprenderás como usar las variables para darle al juego un propósito y hacerlo mas divertido!

SOLAMENTE LOS MEJORES
LLEGAN AL NIVEL 6.
¡HAS DEMOSTRADO SER MUY DEDICADO
Y UN GRAN PROGARMADOR DE JUEGOS!
1 2 3 4 5 6
42

6 INTRODUCING VARIABLES

USANDO VARIABLES

THE CHASE

Now that we have the basics of the game done, we have to move onto adding a goal to it. This actually is what will turn our project into a game, as now your goal as the dove is to chase dragonflies.

So first, it's time to decide how we want the dragonfly to move. We have to think of a way to keep the dragonflies constantly moving. Remember, you are going to be controlling the dove, not the dragonflies. Can you figure out a way to have the dragonflies moving constantly?

Hint: You are going to want to set up another 'when I start as a clone' block and inside of it you are going to need a 'forever' block because the idea is that the dragonflies never stop moving. Then some kind of movement block will be necessary. Try and see if you can make it, otherwise, as always, don't

LA PERSECUSIÓN

Ahora que tenemos la base del juego lista, tenemos que agregarle una meta. Esto convertirá a nuestro proyecto en un juego, ya que ahora tu objetivo como la paloma será perseguir a las libélulas.

Es tiempo de pensar en una manera para que la libélula se mueva constantemente de forma automática. Recuerda que tú estarás controlando la paloma, pero no la libélula. ¿Puedes programar tus bloques para que las libélulas se muevan todo el tiempo?

Pista: Configura otro bloque 'cuando yo comienzo como un clon' y dentro de éste necesitarás un bloque 'por siempre' porque la idea es que la libélula nunca pare de moverse. Después será necesario algún tipo de bloque de movimiento. Prueba a ver si lo logras, pero como siempre, no te

worry, below is the solution and example.

Solution: Underneath a 'when I start as a clone' block put a 'forever' block. Inside the 'forever' block, drag a 'glide 1 second to random position' block from the blue movement section.

This will make it so that the dragonfly moves to a new random position every single second. Another way to tackle this would be to have it glide towards the dove all the time, as the dove is always moving as well.

In this case, a block like 'go to x: _ y: _' would not have worked as it is instantaneous and thus would look very unrealistic and hard to follow. It would simply seem like the dragonfly is teleporting.

preocupes que abajo encontrarás la solución y el ejemplo.

Solución: Dentro del bloque 'al comenzar como clon' pon un bloque 'por siempre'. Dentro de este bloque arrastra uno de 'deslizar en 1 segundo a posición aleatoria' que encontrarás en la sección azul de 'movimiento'.

Esto hará que la libélula se mueva a una nueva posición aleatoria cada segundo. Otra manera sería hacer que siga a la paloma todo el tiempo ya que esta se mueve todo el tiempo.

Para ello, usar un bloque como el de 'ir a x: _y:_' no hubiera servido porque es instantáneo y haría que la libélula pareciese que se teletransporta en forma mágica de un lugar a otro.

POINTER FUNCTION

Another idea we could add to make our game more realistic is to have the dragonfly pointing at where it is moving so that it doesn't look like its flying sideways or backwards.

To do this we need the block 'point towards Dove'. However, this will only work if the dragonfly's movement is also always going towards the Dove. If you had set it

FUNCIÓN DE 'APUNTAR'

Otra idea que podríamos programar para que el juego quede más realista, sería hacer que la libélula apunte hacia donde se mueve para que no parezca que vuela de lado o para atrás.

Para esto necesitamos el bloque 'apuntar hacia paloma'. De todas maneras, esto solo funcionará si el movimiento de la libélula siempre va hacia la paloma. Si lo to going towards a random position it is much harder to get it to point towards where it is going. Your code should look like this:

configuraste para que vaya en una dirección aleatoria es mucho más difícil hacer que la libélula apunte hacia donde vuela. Tu código debería verse así:

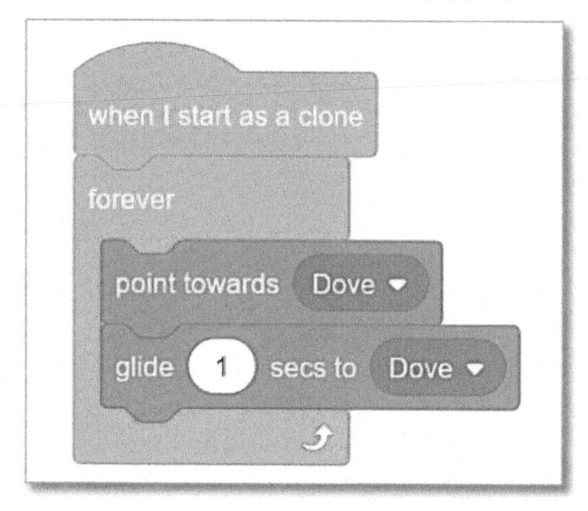

Try and press the green flag to see if it works. I think it feels like the Dove is maybe a little too fast, so we can change its movement speed down from 10 to 5. Try again; you will see it looks better now.

Presiona la bandera verde para ver si funciona. Yo creo que a lo mejor la paloma se mueve demasiado rápido. Así que podemos cambiar su velocidad, reduciéndola de 10 a 5. Prueba una vez más, creo que se ve mejor así.

KEEPING THE DOVE IN THE SCREEN!

¡QUE LA PALOMA NO SALGA DE LA PANTALLA!

Do you remember how one of the first things we did when coding Catku's mechanics was to make sure he wouldn't leave the screen? Well, we should do the same with the Dove.

¡¿Te acuerdas que en nuestros comienzos programamos la mecánica de Catku para que no se saliera de la pantalla? Pues bien, deberíamos hacer lo mismo con la paloma.

In Scratch technically no Sprite can ever really leave the screen, but it can reach the point where it is hidden by the borders. To prevent

En Scratch técnicamente un Sprite nunca se puede salir de la pantalla, pero puede pasar que quede escondido en los bordes.

this, we are going to need a different strategy than last time. We could do what we did last time of introducing an 'if on edge bounce' block, but for the movement of a dove this seems a little too odd. So, a better way to do it is to use an 'if' block inside a 'forever' block. We can use the 'touching edge?' block to sense if it is on screen or not.

Para prevenir esto necesitaremos una estrategia diferente a la de la última vez. Podríamos hacer lo mismo de la última vez poniendo un bloque 'si en borde rebota' lo cual para el movimiento de la paloma parece poco natural. Una mejor manera sería usar un bloque 'si' dentro de un bloque 'por siempre' y usar el bloque ¿'tocando borde'?

Then, if it is touching the edge, we can simply make it turn 15 degrees. This means that now it should organically turn around slowly every time it gets close to leaving the screen. This is what this code for the dove looks like so far:

De esta manera, si la paloma toca el borde, girará 15 grados de forma natural cada vez que esté a punto de salirse de la pantalla. Así es como está el código de la paloma hasta ahora, deberías tenerlo igual:

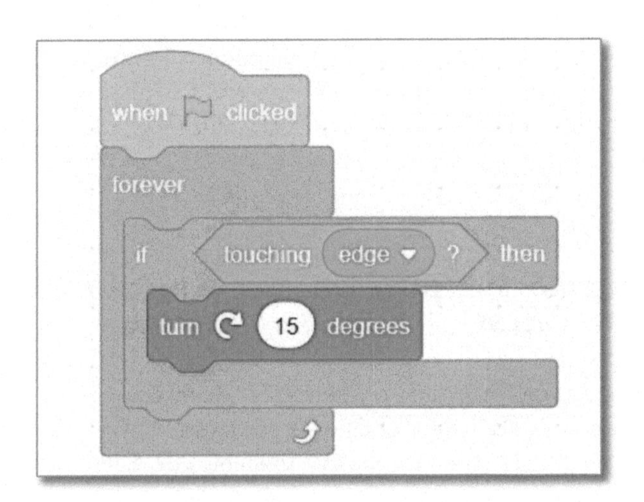

TESTING YOUR CODE

PROBANDO TU CÓDIGO

Testing your code is an important part of programing. Every time you finish a section of code, go

Probar tu código, lo que llaman 'testear', es muy importante cada vez que termines una sección.

ahead and test it. Let's do it now.

Hagámoslo ahora.

Try pressing the green flag to see if it works. Does your dove go like this?

Prueba presionando la bandera verde para ver si funciona. Tu paloma va así:

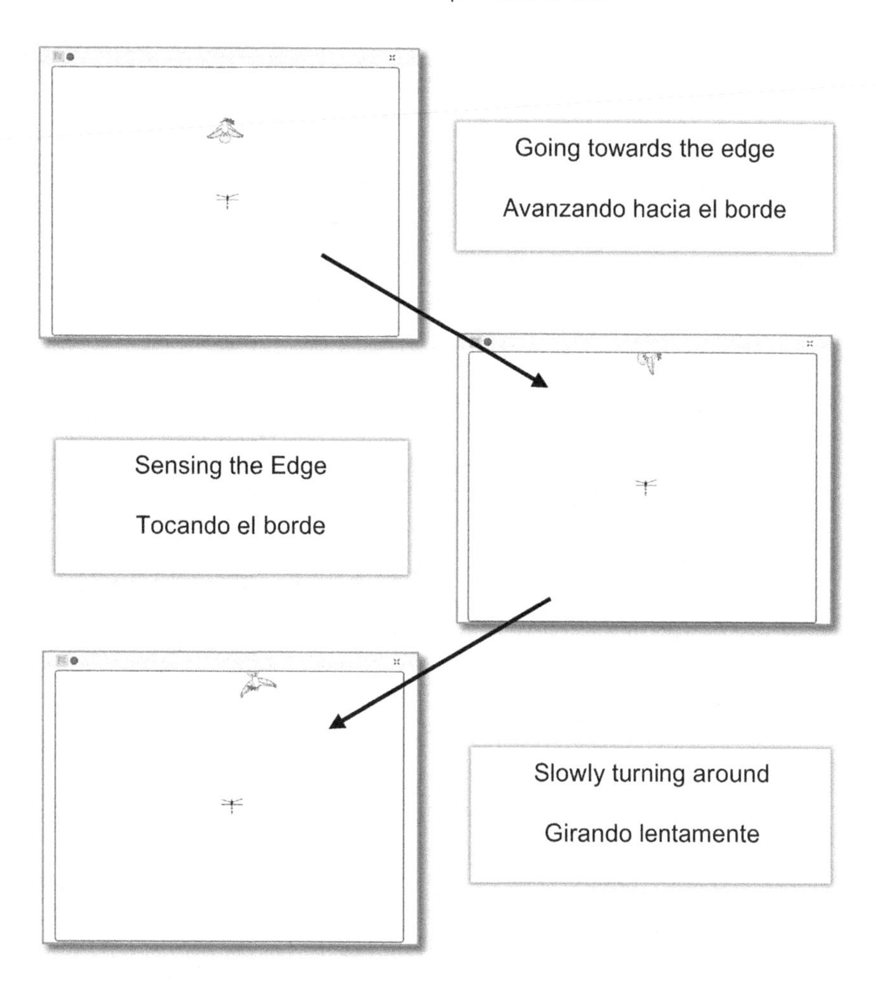

THE POINTS SYSTEM OF YOUR GAME

EL SISTEMA DE PUNTOS DE TU JUEGO

Now it's finally time to add the point system to our game. So, as you might have realized by now

Ahora es tiempo de agregar el sistema de puntos al juego. Para esto necesitaremos agregar

we will need to add variables. Go to the 'Variables' section and click 'Make a Variable'. Then, name this new variable 'Points'. You should see now in the top right of your left of your game screen a little rectangle that says 'Points 0'

variables. Ve a la sección de 'Variables' y cliquea 'Crear una variable'. Nombrar a la nueva variable 'Puntos'. Deberías ver arriba a la derecha de la parte izquierda de tu pantalla verde un pequeño rectángulo que dice 'Puntos 0'

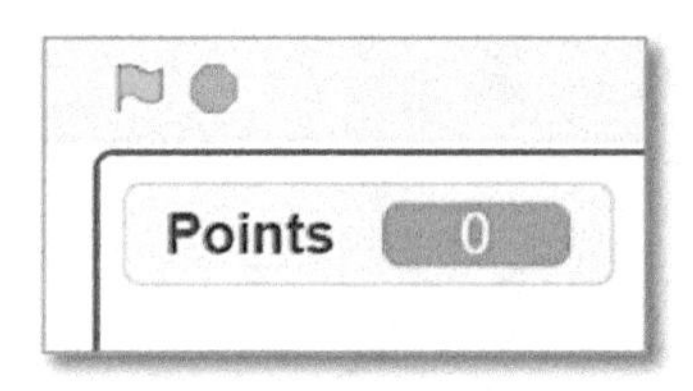

You can click on it to change how it looks and you can drag it around to different parts of your screen. This is essentially where the points are displayed to the player.

Puedes cliquear sobre el indicador para cambiar su apariencia o arrastrarlo a otra posición. Aquí es donde se muestran los puntos al jugador.

Now, lets make it so the dove can eat dragonflie0s, and that for each one eaten, the player gets one point.

Ahora, hagamos que la paloma pueda comer libélulas, y que el jugador reciba un punto por cada una.

To do this, within the dragonfly's code add another 'when I start as a clone' block with a 'forever' and an 'if' block inside of it. Use the sensory block of 'touching Dove?' to help the dragonfly sense if it is being eaten or not.

Para ello, tienes que agregar al código de la libélula un bloque 'al comenzar como clon' y dentro de este uno de 'por siempre' y un 'si'. Usa el bloque sensorial '¿tocando paloma?' para saber si está siendo comida.

In this way, if it is touching the dove, add the blocks 'delete this clone' and 'change Points by 1'.

Si la libélula está tocando a la paloma agrega el bloque 'borrar este clon' y 'cambiar puntos por 1.

This will first of all delete the new clone as it has been eaten. It will then give the player 1 point as

De esta manera cuando haya contacto borrará al nuevo clon ya que ha sido comido y le dará al they have accomplished their goal of eating dragonflies. Now, if you got lost, don't worry, have a look at how your code should look like by now. Go ahead and just copy it.

jugador 1 punto cada vez que coma uno. No te preocupes si te has perdido. Simplemente mira el ejemplo de abajo y copia el código.

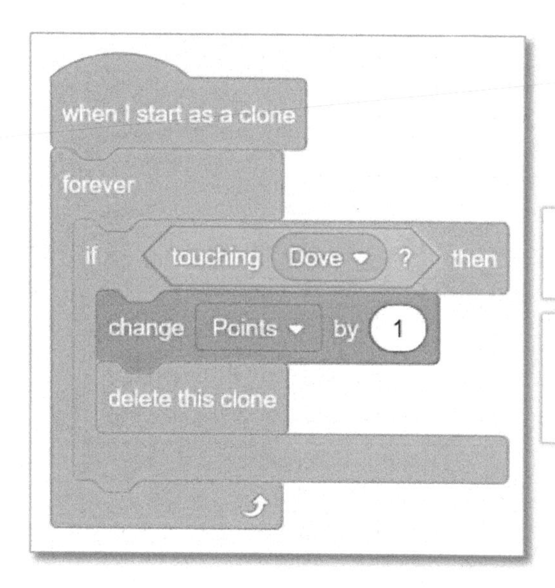

Saber si lo están comiendo

Si lo están comiendo, entonces asigna un punto y borra el clon

RESETTING POINTS BACK TO ZERO

PONIENDO LOS PUNTOS EN CERO

Try playing the game now. You should get 1 point for every dragonfly you eat.

But you will realize that the points don't go back to '0' when you start again. To fix this simply add 'set Points to 0' under any 'when green flag clicked' block. That simple! Now try again.

Ahora prueba el juego. Deberías recibir 1 punto por cada libélula que te comas.

Te habrás dado cuenta de que cuando vuelves a empezar los puntos no regresan a '0'. Para arreglarlo agrega 'poner Puntos a 0' debajo de cualquier bloque de la bandera verde. ¡Así de simple!

HIDING THE ORIGINAL SPRITE

Another issue that you might have observed is that one dragonfly appears in the center of the screen, and it doesn't move and can't be eaten. This is because that dragonfly is the original dragonfly, and since it is not a clone, then none of the code underneath 'when I start as a clone' affects it.

Therefore, what we must do with this Sprite is simply hide it. So, underneath a 'when green flag clicked' block, in the dragonfly's coding area, add a 'hide' block from the 'Looks' section. Now, every time you start the game, the original dragonfly should be invisible. But you want your clones to be visible, so just add a block of "show" under the 'when I start as a clone'.

OCULTANDO AL SPRITE ORIGINAL

Otro asunto que habrás notado es que aparece una libélula en el centro de la pantalla que no se mueve y no puede ser comida. Esto es porque es la libélula original y no un clon, por lo tanto, el código que se encuentra debajo 'cuando yo comienzo como un clon' no le aplica.

Lo que debemos hacer con esta libélula es esconderla. Debajo del bloque de la bandera verde en el área del código de la libélula, agrega el bloque 'esconder' de la sección 'apariencia'. Ahora cada vez que comiences el juego, el clon original debería ser invisible. Pero querrás que los clones sí se vean, por lo cual debes agregar un bloque de 'mostrar' debajo del de 'al comenzar como clon'.

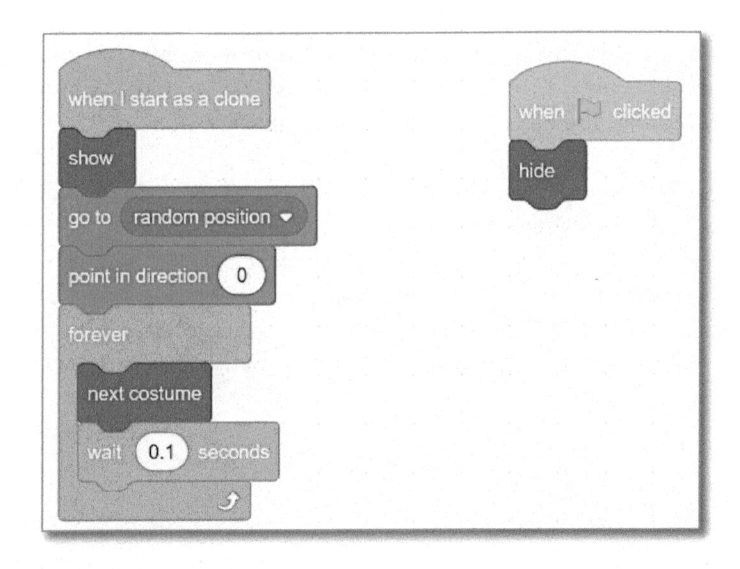

UPLOADING YOUR GAME TO THE PLATFORM

SUBIENDO TU JUEGO A LA PLATAFORMA

You have now finished your first actual game. Congratulations! Now you can give your game a name, and then publish it like we did last time.

Ahora has terminado tu primer juego. ¡Enhorabuena! Lo único que queda por hacer es ponerle un nombre, y luego publicarlo como hemos hecho la última vez.

Whilst you are technically done, you can still add some extra improvements to your game using the techniques that we taught you earlier. I will now show you some of the possible aspects that you could add to your game. Pick and choose from these or from other ideas you want to try.

Aunque ya técnicamente lo has terminado, le puedes agregar algunas mejoras usando las técnicas que ya has aprendido anteriormente. Te mostraré algunas cosas que puedes agregar a tu juego. Puedes elegir alguna de estas o si quieres otras ideas que te den ganas de probar.

CHANGING BACKDROP

CAMBIANDO EL FONDO

You can have multiple backdrops in your game. Go ahead and click on the bottom right to select your 'Stage'. Then click on 'backdrops' in the top left. Then, using the little pop-up menu in the bottom left add a few backdrops of your liking.

Puedes tener varios fondos en tu juego. Abajo a tu derecha en 'Escenario', cliquea en 'fondos', y usando el menú desplegable, agrega tantos fondos que te gusten como quieras. Ya lo hemos hecho antes.

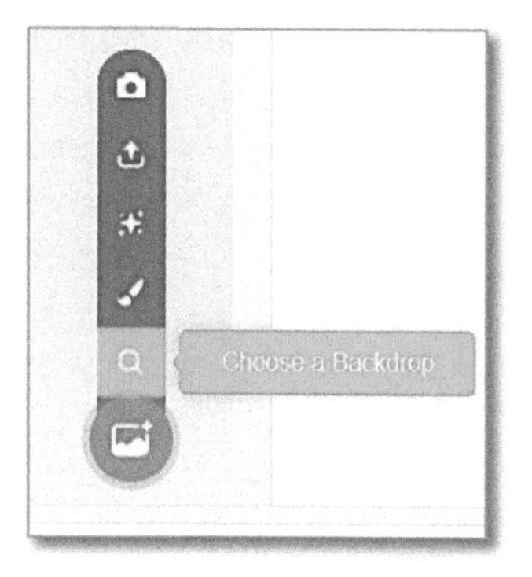

Elige un fondo

I chose to add 5 backdrops, each a little higher up in terms of altitude. I've chosen it like this to give the game a sense of progression, so that it seems like you are constantly flying higher and higher until you reach another planet.

Now let's make it so the backdrop changes when we go higher! First of all, make it so that 'when green flag clicked' 'switch backdrop to _' your first backdrop that you chose. In my case, this is 'Forest'.

Then, add a 'forever' block with an 'if' block inside of it. Then, you are going to add a '__ and __' block from the 'operators' section. Inside these spots you need to add a '__ > __' block and a '__<__' block. These blocks make it so that your game detects if a certain value is above or below another value.

So, on one side put the orange 'points' block, and on the other side choose a value. The values here can be anything you want. You are just deciding at which point the backdrop will change. Personally, I chose greater than 9 and smaller than 20, so that it triggers as soon as you reach 10 points.

Then, inside the 'if' block add a block to switch backdrop to the next one. In my case this is 'switch

Yo he agregado 5 fondos, cada uno parece un poco más alto, como subir en el cielo. Esto le dará al juego una sensación de progresión. Parecerá que estás volando cada vez mas alto hasta alcanzar otro planeta.

Ahora hagamos que el fondo cambie cada vez que subamos más y más alto. Haz que 'al hacer clic en la bandera verde' 'cambie el fondo a _ ' el primer fondo que tu has elegido. En mi caso es 'Bosque'

Después, agrega un bloque 'por siempre' con un bloque 'si' dentro. Luego vas a agregar un bloque '_y_' de la sección 'operadores'. Dentro de esos espacios necesitas agregar un bloque '_>_' y un bloque '_ <_ '. Estos bloques detectan si cierto valor es mayor o menor que otro.

Entonces, de un lado pon al bloque naranja de 'puntos', y del otro lado elije un valor. Pon el valor que más te guste. El valor que pongas indicará cuándo debe cambiar el fondo. Prueba a ver cuál te gusta más. Personalmente, yo elegí mayor que 9 y menor que 20, para que se active cuando alcance 10 puntos.

Después dentro del bloque 'si' agrega un bloque para cambiar de un fondo al próximo. En mi caso es backdrop to Blue Sky'.

Simply repeat this again for all your other backgrounds with ascending amounts of points. This is how I did it. Try out your game and adjust the values to whatever you prefer.

'cambiar fondo a Cielo Azul'.

Simplemente repite esto para todos tus otros fondos con cantidad ascendente de puntos. Así es como yo lo hice. Prueba tu juego y ajusta los valores.

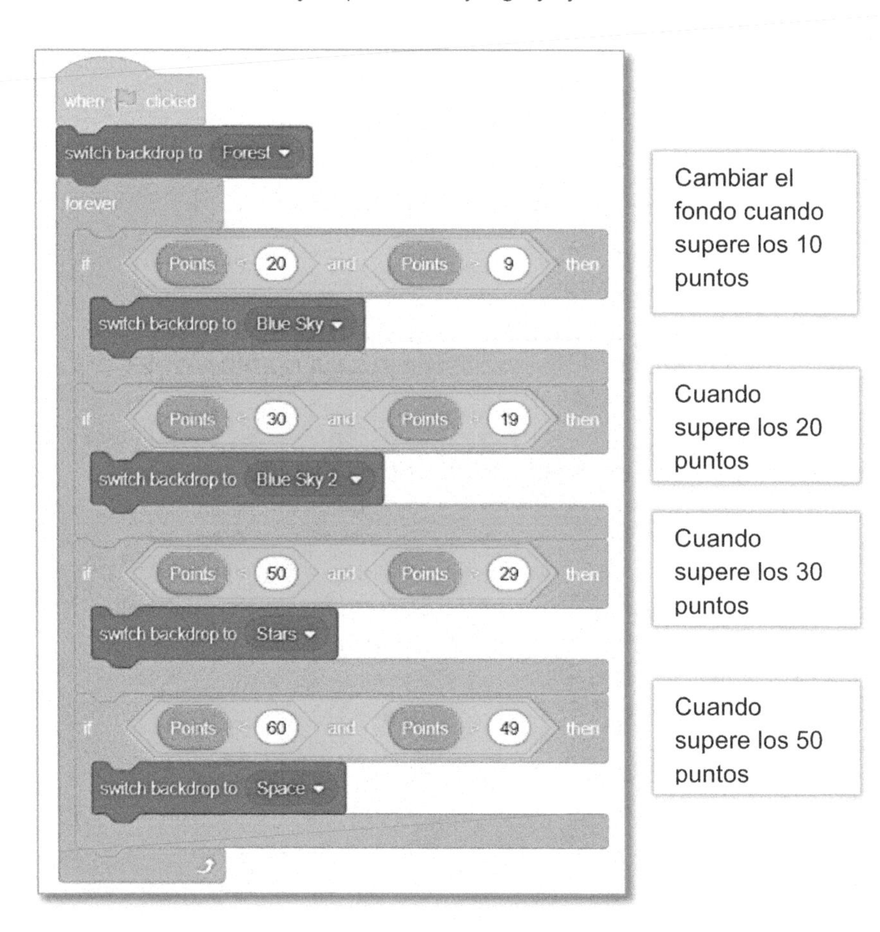

ADDING SOUNDS TO YOUR GAME

AGREGANDO SONIDOS A TU JUEGO

Adding sounds is crucial for any game. For example, we can add a

Agregar ciertos sonidos es crucial para cualquier juego. Por ejemplo, sound every time the dove eats the dragonfly. Let's give it a try.

To do this, we can add 'play sound pop' (or any other sound you prefer) so that it plays every time the clone is touching the dove. Simply add this in the dragonfly's coding area inside the 'if' block that detects if it's being eaten.

This should add your chosen sound every time your dove eats a dragonfly.

podemos agregar un sonido cada vez que comamos una libélula.

Para hacer esto, agrega 'tocar sonido pop' (o cualquier sonido que te guste) para que suene cada vez que el clon este tocando a la paloma. Agrega esto en el área de código de la libélula adentro del bloque 'si' que detecta si está siendo comida.

Esto ejecutará el sonido cada vez que la paloma coma una libélula.

GROWING THE DOVE AS IT EATS MORE AND MORE

Another option would be to make the dove get a little bit larger every time that it eats another dragonfly.

To do this, we can use the broadcasting messages feature that we learnt earlier. It is useful to detect stuff between different Sprite's coding blocks.

In the 'if' block that detects if the dragonfly is being eaten, add broadcast message 'eat'. Then in the dove's coding area add the block 'when I receive eat', and underneath it add 'change size by 3', or any value you prefer.

However, we have to remember now to reset the size of the dove when you play again. So, underneath a 'when green flag

HACIENDO QUE LA PALOMA CREZCA A MEDIDA QUE COME

Otra opción es hacer que la paloma se agrande cada vez que se coma una libélula.

Para hacer esto podemos usar la función de enviar mensajes que aprendimos con anterioridad para conectar los códigos de diferentes Sprites.

En el bloque 'si' que detecta si la libélula ha sido comida, agrega enviar mensaje 'comer'. En el código de la paloma agrega el bloque 'cuando yo recibo comer', y por debajo de este 'cambiar talla por 3', o cualquier valor que prefieras.

Para que se reinicie el tamaño de la paloma cuando vuelvas a jugar, pon 'poner talla a 30%'u otro valor clicked' add 'set size to 30%' or any value you prefer.

que prefieras debajo de 'al hacer clic en la bandera verde'.

Now you're dove should get a little bit larger every time it eats a dragonfly.

Ahora tu paloma debería ser un poquito más grande cada vez que se coma una libélula.

RANDOM VALUES

VALORES ALEATORIOS

Another idea would be to swap the preset values in your game for randomized values. For example, you could replace the time that it takes for a new dragonfly to appear to a random value.

Otra idea seria intercambiar algún valor en tu juego por uno aleatorio. Por ejemplo, podrías cambiar el tiempo que le lleva aparecer a una nueva libélula a un valor aleatorio.

To do this, take the 'pick random 1 to 3' block and put it where you currently wrote '2' seconds.

Para hacer esto, coge el bloque 'aleatorio 1 a 3'y ponlo donde actualmente has escrito '2' segundos.

This will make the time it takes a little bit more interesting.

Esto hará que el tiempo que le lleva sea un poco más interesante.

7 BELL RINGER GAME - PART 1

JUEGO DE LA CAMPANA - PARTE 1

SETTING UP THE NEW GAME

Its time to move on to our final game. This game is going to be the most complete and entertaining one that we have made yet. It is going to be inspired on the famous Cookie Clicker, but instead of clicking cookies we are going to be ringing bells. Thus, we will call it the Bell Ringer game!

Go ahead and create a new project. First of all we are going to remove the cat like we did last time, to choose a better fitting Sprite for our game. While you can choose whatever you want, for this book we are going to go for a bell, however you are free to point your game in a different direction if you're feeling up to the challenge.

We should make the bell a little bigger as it' is the key element of our game; maybe size 220 works fine. Let's try.

PREPARANDO EL NUEVO JUEGO

Ahora vamos a programar un nuevo juego. Este juego será el más completo y entretenido que hayamos hecho hasta ahora. Estará inspirado en el famoso Cookie Clicker, pero en vez de cliquear galletas vamos a hacer sonar campanas. Por lo tanto, se llamará, en inglés, Bell Ringer!

Primero crea un nuevo proyecto y borra el Sprite del gato como la última vez, para elegir uno que se adecue mejor a nuestro juego. Aunque puedes elegir el que quieras, para este libro pondremos una campana. De todas maneras, eres libre de orientar tu juego en otra dirección si te sientes preparado.

Deberíamos hacer la campana un poco mas grande porque es el foco principal del juego, a lo mejor tamaño 220 funciona bien.

RINGING THE BELL

The first thing to do is set up the ringing of the bell. In many games, when you hover over an object it gets bigger temporarily to show that you have it is selected. Let's see if you can do the same with the bell in this game.

Hint: In this case we are going to use the 'if__else' block to let the Sprite know when the mouse pointer is hovering over. There are two 'if' blocks, and you will need the one that includes also the 'else' part.

Solution: Drag a 'when green flag clicked' block with a 'forever' block underneath it. Inside the 'forever' block add an 'if else' block. In the area for the condition (beside 'if') add the 'touching mouse-pointer?' block.

Then, within the 'if' add 'set size to 240%', whilst within the 'else' put just '220%' (which is our current size). This ensures that it will always return to the original size.

This is the first time we use the orange control block with a necessary condition and the 'else' option, which you will find very useful as you venture into building more projects. This is how your code should look like so far.

TOCANDO LA CAMPANA

Lo primero que haremos es activar el sonido de la campana. En muchos juegos cuando pasa el cursor sobre un objeto se hace más grande temporariamente para indicar que lo has seleccionado. Veamos si puedes hacer lo mismo.

Pista: En este caso vamos a usar el bloque 'si__no' para que el Sprite sepa cuando el puntero del ratón pasa por encima. Hay dos bloques 'si'. Tú necesitarás al que es más grande, que incluye una parte de 'si no'.

*Solució*n: Arrastra un bloque de la bandera verde con uno de 'por siempre' debajo de este. Adentro del bloque 'siempre' agrega uno de 'si__entonces'. En el hueco (al lado de 'si') inserta el bloque 'tocando puntero del ratón?'

Luego en el primer espacio inserta uno morado de 'fijar tamaño al 240%', y dentro del 'si no' inserta uno igual pero pon 220%. Esto hará que vuelva al tamaño original.

Esta es la primera vez que usamos el bloque naranja de control con la condición necesaria y la opción de 'si no'. Verás que te resultará un bloque muy útil para tus próximos proyectos. Así es como debería verse tu código por ahora.

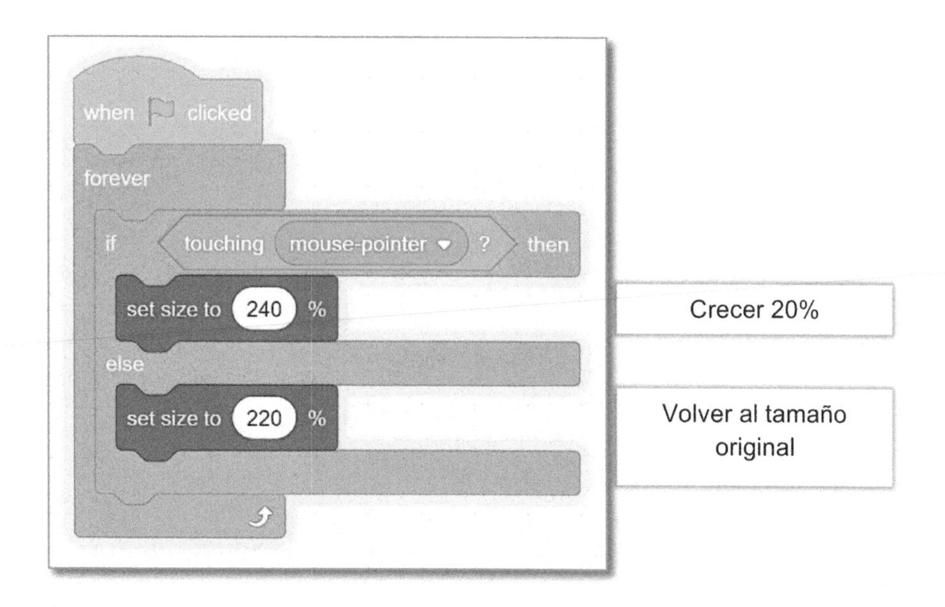

ADDING A POINTS SYSTEM

For this game, the points will be equivalent to the number of times the bell has been rung. To make this happen, we need to add a variable like we did last time, and call it 'Rings'. If you double click the 'Rings' variable you will see that it changes the way it looks.

To increase the points every time you click we need the 'when this Sprite clicked' block. Underneath it add the variables block 'change Rings by 1'. You could also add something to make it clear that you clicked, like changing the size momentarily. Do this with the looks block 'set size to 200%' block.

AGREGANDO UN SISTEMA DE PUNTOS

Para este juego, los puntos serán equivalentes al número de veces que se toque la campana. Necesitarás agregar una variable nueva y llamarla por ejemplo 'campanadas'. Si haces doble clic sobre la variable de campanadas verás que cambia su aspecto.

Para incrementar los puntos cuando cliqueas necesitamos el bloque 'al hacer clic en este objeto'. Debajo agrega el bloque de variable 'sumar a campanadas 1'. Para estar seguro que has cliqueado, puedes hacer que se agrande colocando el bloque morado de apariencia 'fijar tamaño al 200%'.

BELL RING

The next thing to add would be for the bell to make a sound when it is clicked.

So, go to sounds and search for whatever you want. Personally, I'm going for the Bell Cymbal noise. Then, you can use the block 'start sound Bell Cymbal'.

The difference between 'play sound' and 'start sound' is that 'play sound' will first play the whole sound and only when done, it will continue executing the code. If the sound you select is long, then the player will have to wait until it is finished.

On the contrary, when you select 'start', the program will start playing the sound and keep running the code while the sound plays. In this case, because the sound we selected is super short and there is no code after it, it really makes no difference.

But it is good to know and keep in mind for other games.

LA CAMPANADA

Lo próximo es agregar el código para que al hacer clic suene la campana.

Ve a la sección de sonidos y elije el que más te guste. Personalmente he elegido 'Bell Cymbal'. Luego, puedes usar el bloque 'iniciar sonido'.

La diferencia entre 'tocar sonido' e 'iniciar sonido' es que 'tocar sonido' lo que hace es tocar todo el sonido, de principio a fin, y luego continuar ejecutando el programa, con lo cual el jugador tiene que esperar a que termine. Imagínate si el sonido el largo, o una canción, esto puede ser bastante aburrido.

Por el contrario, lo que hace 'iniciar sonido' es comenzar a tocar el sonido o la canción y seguir ejecutando el programa mientras tanto.

En realidad, en nuestro caso no hace mucha diferencia, pues nuestro sonido es muy breve, pero es bueno saberlo.

RESETTING THE POINTS OF THE GAME

As you might have realized already, we have to reset the points after every time you press

PONIENDO LOS PUNTOS EN CERO

Como te habrás dado cuenta, tenemos que reiniciar los puntos cada vez que presionas la bandera the green flag so every time you play the game the points go back to zero.

verde para que al comenzar un nuevo juego los puntos estén siempre en cero.

So, let's do that by adding the 'set Points to 0' underneath a 'when green flag clicked' block. You will remember that we have already learned how to do this. My code so far looks like this.

Es simple, solamente necesitamos agregar el bloque de 'poner Puntos a 0' debajo del bloque 'al hacer clic en la bandera verde' como ya lo hemos hecho antes. Así es como se ve mi código.

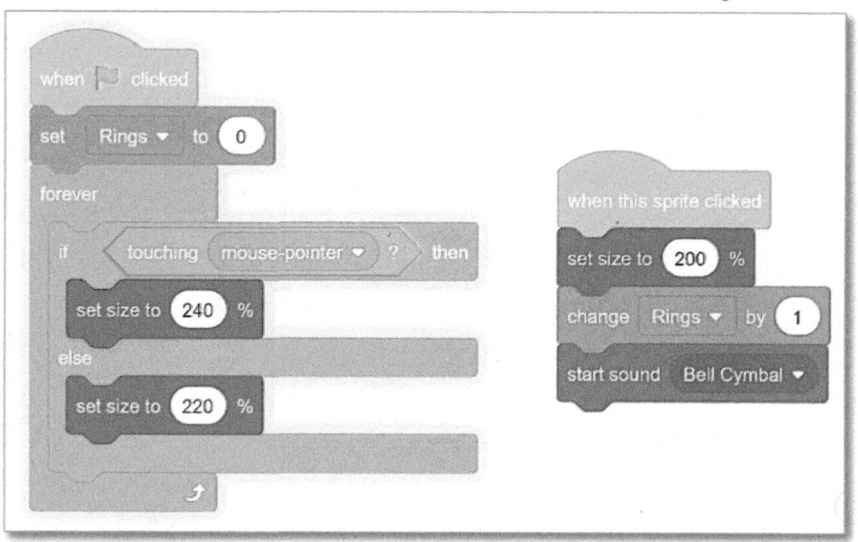

BUYING ITEMS

COMPRANDO ELEMENTOS

If you've ever played Cookie Clicker, you know that you can purchase certain items that will collect cookies for you.
We can do the same by adding our own Sprites. How about we add an item called 'Students', so the more 'Students' you have the more bells are rung. To add this we need to create a new Sprite. You can design this Sprite just as you want.

Si alguna vez has jugado a Cookie Clicker recordarás que puedes comprar ciertos ítems que coleccionarán galletas para ti.
Podemos hacer lo mismo agregando Sprites. Que tal si agregamos un ítem llamado 'estudiante', entonces cuantos más estudiantes tengas, más campanas sonarán. Para hacer esto tenemos que crear un nuevo Sprite. Lo

However, there are going to be a few requirements:

puedes diseñar como tu quieras. Sin embargo, hay ciertos requisitos:

- Some indication of cost
- A costume to represent a student
- Text that indicates it's a student

- Indicación del coste
- Un disfraz para representar a un estudiante
- Texto que indique 'estudiante'

To add costumes into your Sprite you need to click on the pop-up menu on the bottom left. Adding text and shapes can all be accessed from the menu on the left.

Para agregar un disfraz a un Sprite tienes que cliquear sobre el menú desplegable abajo a la izquierda. Puedes accedes a texto y formas en el menú a la izquierda.

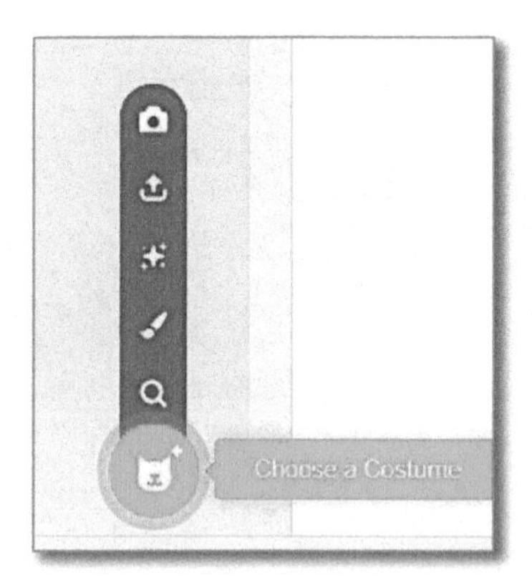

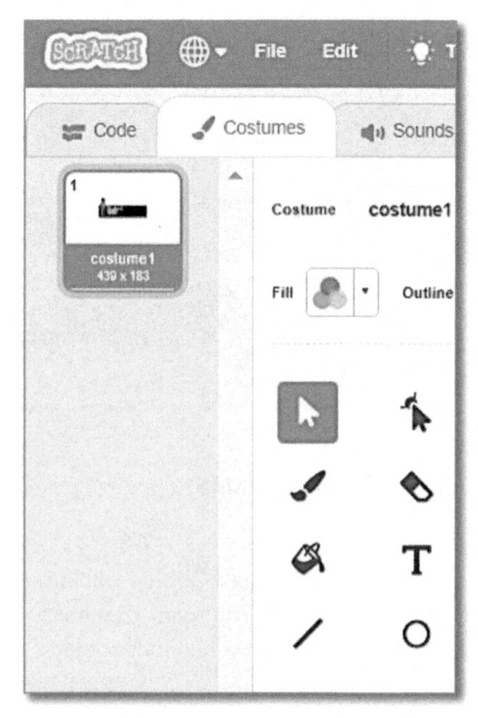

This is what I've gone for personally, but you could make yours even nicer.

Esto es lo que he hecho yo, pero tu puedes hacer el tuyo mucho más bonito.

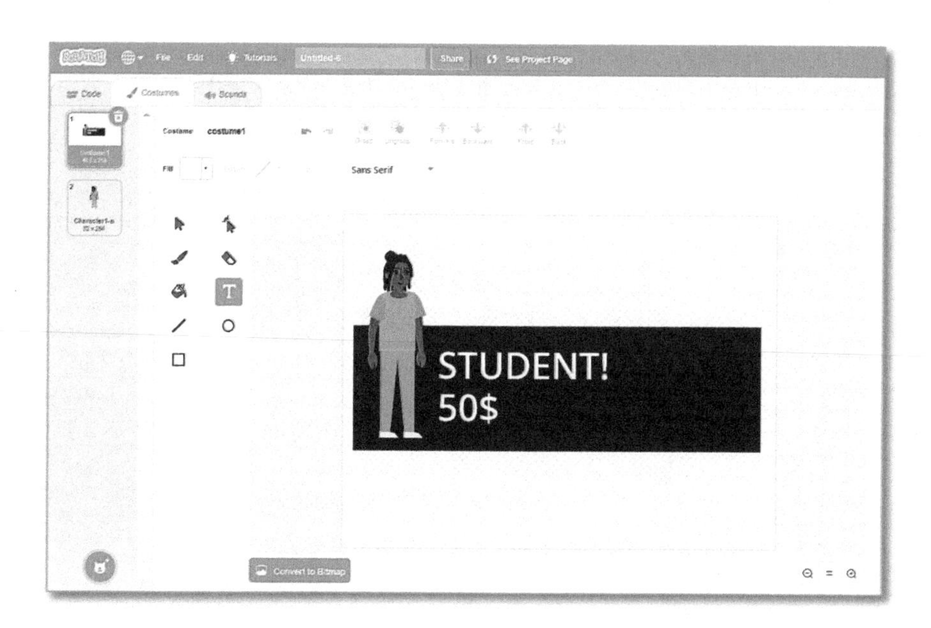

Once you're done with this you can go ahead and delete the second frame that just has the student. Just don't forget to rename your Sprite to 'Student'.

Cuando hayas terminado de darle formato a tu Sprite, puedes borrar el segundo cuadro que solo tiene al estudiante. No te olvides de renombrar a tu Sprite 'estudiante'.

ADDING MORE STUDENTS

AGREGANDO MÁS ESTUDIANTES

First of all, going back to the coding area we can make the 'student' Sprite about half its original size, and then move it to the right of the screen.

Then, we need to set up a variable called 'Student Count', so that the game can easily check how many students you have. Make sure to make this variable only for this Sprite.

You can do this by clicking the

Volviendo al área de código podemos reducir al Sprite del 'estudiante' a la mitad de su tamaño original, y luego moverlo a la derecha de la pantalla.

Después, tenemos que configurar una variable llamada 'conteo de estudiante', para que el juego pueda contar cuantos estudiantes tienes.

Asegúrate hacer estas variables solo para este Sprite. Haz clic en el

small circle which indicates if it is a variable just for this Sprite or for all of those in the game.

círculo pequeño que indica si esta variable aplica a este Sprite o a todos los del juego.

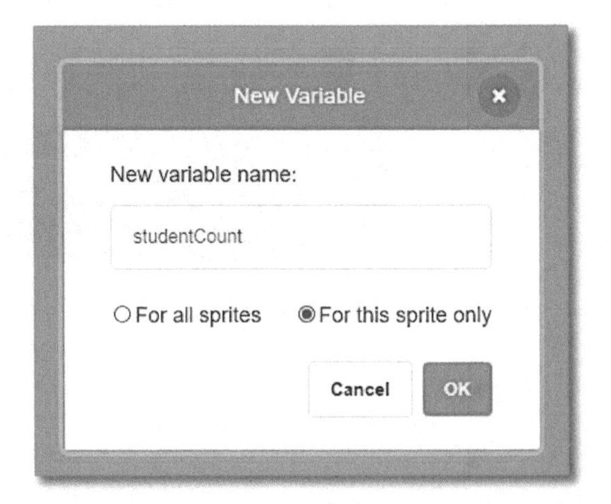

Then, go ahead and drag this variable to the empty space on the student Sprite that you left earlier like this:

Luego, arrastra esta variable al espacio vacío en el Sprite del estudiante que dejaste anteriormente así:

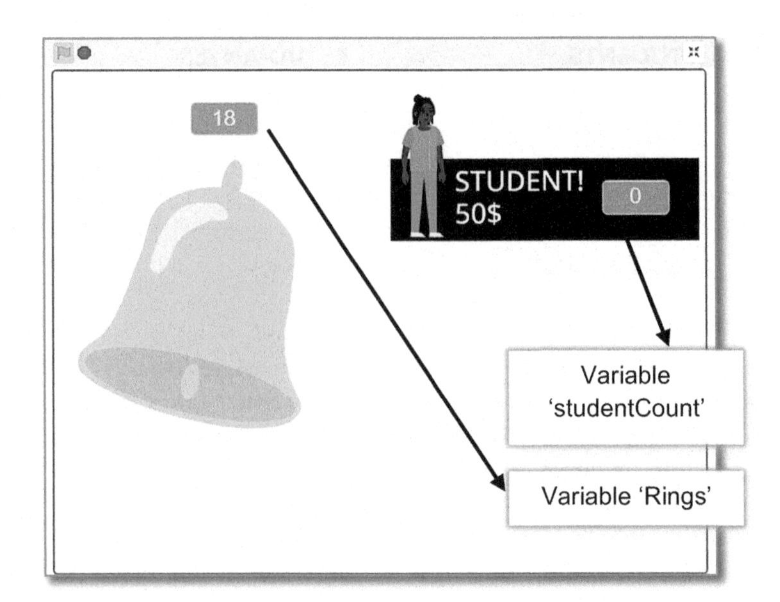

BUYING THE STUDENTS

To make it so that the number of students goes up when we click on the Sprite, its pretty much the same thing as when we were clicking on the bell to ring it.

The only difference is that now the game has to check to make sure that you have enough 'Bell's rang' in order to purchase a student given the price you have set.

As we said earlier, the student costs 50$. It can cost any amount you choose, so we are going to need to keep this in mind. Within the coding area of the Student Sprite add the 'when this Sprite clicked' block. Underneath it add an 'if__else' block.

Again, here we do not need the 'forever' block because the game doesn't need to constantly check this, only when you click on it.

Drag the green block '___ > 49' into the first space of the 'if block'. Then add the small orange 'Rings' block into the empty space. This means that now the game will check if you have over 49 bells before running the code inside of it.

This will make it so that if you have less than 50 bell rings, the game

COMPRANDO ESTUDIANTES

Para hacer que el número de estudiantes suba cuando cliqueamos en el Sprite, es más o menos lo mismo que cuando cliqueábamos en la campana para tocarla.

La única diferencia es que ahora el juego tiene que chequear para asegurarse que tienes suficientes 'campanadas' para poder comprar un estudiante.

El coste de un estudiante es de $50, o lo que tú elijas. Tendremos que tener esto en cuenta. Dentro del código del Sprite del estudiante agrega el bloque 'al hacer clic en este objeto' y debajo de éste agrega un bloque doble de 'si__ y si no_'.

Aquí no necesitamos un bloque 'por siempre' porque el juego necesita chequear esto sólo cuando cliques en él.

Arrastra el bloque verde de '__> 49' dentro de la primer parte del bloque 'si_'. Luego arrastra el bloque naranja 'Campanadas' dentro del espacio vacío. Esto hará que el juego verifique si tienes más de 49 campanadas antes de ejecutar el código.

Esto hará que si tienes menos de 50 campanadas el juego no te

will not allow you to buy a student.

Inside the 'if' area add the orange variables block 'change Rings by -50' as you have just spent 50 rings to buy a student and add 'change studentCount by 1'.

So far having more students doesn't do anything but play around with it to see if it works.

Then, in the 'else' area add the 'say __ for 2 seconds' block. In the empty space write something along the lines of 'You don't have enough rings!', to indicate to the player that they need more rings to buy this item.

In case you're lost, this is what this part of the code should look like:

permitirá comprar un estudiante.

Dentro del área 'si' agrega el bloque naranja de variables 'sumar a campanadas -50' ya que has gastado 50 campanadas en un estudiante, y agrega 'sumar a estudiante 1'.

Por ahora tener mas estudiantes no hace nada, pero prueba si funciona.

Luego, en el espacio de 'si no' agrega el bloque 'decir __ por 2 segundos' y escribe 'No tienes suficientes campanadas!', para indicar al jugador que necesita más campanadas para comprar un estudiante.

En caso que estés perdido, así es como esta parte del código debería ser:

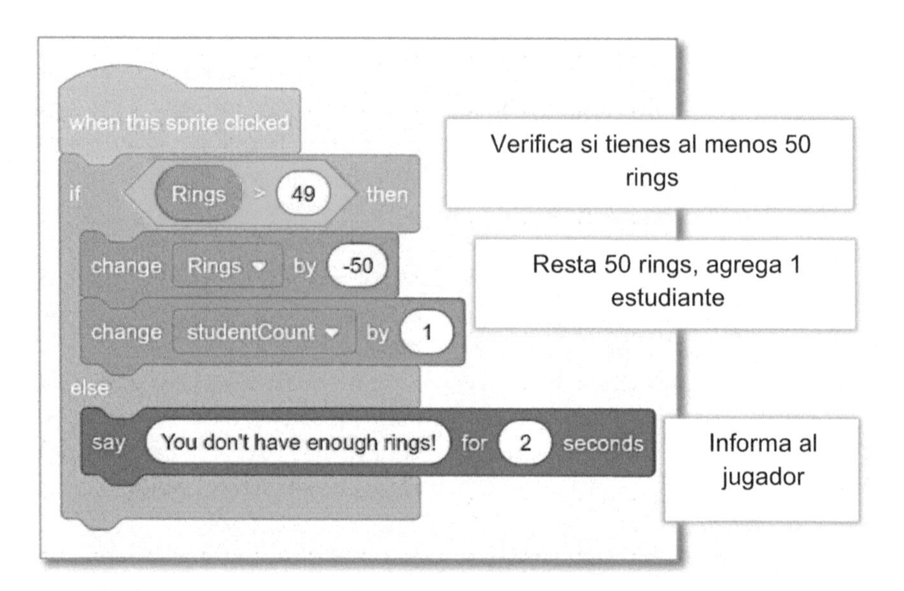

STUDENT ITEM FUNCTIONALITY

After having coded the functionality to purchase students, we have to make them also generate extra rings. To do this, we need to first get a 'when green flag clicked' block and a 'set studentCount to 0' block underneath it. This will ensure to reset the student count every time we restart the game.

Then, underneath this we can make a 'forever' block with a 'change Rings by __' block. In the blank we are going to put the small orange variable block of 'studentCount'.

If we were to leave it like this, it wouldn't really work as the bells would be added as fast as Scratch can possibly process it (which is way too fast). So, to limit this we have to add the block of 'wait 1 second'.

RINGING THE BELL

Now, this is cool, but wouldn't it be even cooler if it were gradual?

Try to code it so that instead of adding the amount of rings equal to the amount of students every second, it adds 1 ring at a time but faster (more often) if you have

FUNCIONALIDAD DEL ITEM ESTUDIANTE

Después de haber programado la compra de estudiantes, tenemos que hacerlos generar campanadas adicionales. Para ello, deberás poner un bloque 'al hacer clic en la bandera verde' y debajo uno de 'dar a mi variable el valor 0'. Esto pondrá en cero el contador de estudiantes cada vez que reiniciemos el juego.

Debajo de esto podemos hacer un bloque 'por siempre' con un bloque 'cambiar campanadas por __'. En el espacio vacío pondremos el bloque naranja de variable de 'estudiantes'.

Si lo dejamos así no funcionará ya que se agregaría una campana tan rápido como Scratch pueda procesarlo (lo cual es realmente demasiado rápido). Para limitarlo vamos a agregar el bloque de 'esperar 1 segundo'.

TOCANDO LA CAMPANA

¿Esto es genial, pero no sería mejor si fuese gradual?

Prueba programarlo para que en vez de agregar la cantidad de campanadas igual a la cantidad de estudiantes cada segundo, lo haga cada vez más rápido si tienes más

more students. Let's try. As always, the code is at the end, so don't worry, you can just copy the way the blocks are set, which is also a way to learn.

estudiantes. Probemos. Como siempre, el código está al final, así que no te preocupes, puedes copiar los bloques y listo, pues así también se aprende.

Hint: You are going to need to use a block from the 'operators' section to change the wait time to 1/studentCount.

Pista: Tendrás que usar un bloque de la sección 'operadores' para cambiar el tiempo de espera a 1/conteo de estudiante.

Soluiton: Remove the small orange 'studentCount' block and replace it by '1'. Instead, get a '__ / __' green block from the 'operators' section and put it into the wait time. Then, add a 1 on the left side and add the 'studentCount' block on the right.

Solución: Remueve el pequeño bloque naranja 'conteo de estudiante' y reemplazarlo por '1'. En cambio, consigue el bloque verde '__/__' de la sección 'operadores' y ponlo en el tiempo de espera. Agrega un 1 a la izquierda y agrega un bloque 'conteo de estudiante' a la derecha. Ahora la frecuencia a la que se agregan campanadas aumentará a medida que tengas más estudiantes.

This will make it so that the frequency at which rings are being added increases as you have more students.

However, this won't work yet as the program will internally crash because it can't divide by 0, and the original student count is 0 at the start. So, we have to add an 'if' block, to only run the code when we are sure that there is at least 1 student. To make this work, put all of this into an 'if' block with the condition of 'studentCount > 0'.

El problema es que el programa se bloqueará al no poder dividir por 0, y la cantidad de estudiantes al comienzo es 0. Para evitar esto, tendremos que agregar un bloque de 'si', para que sólo se ejecute el código cuando haya por lo menos 1 estudiante. Pon todo en un bloque 'si' con la condición de 'Conteo de estudiante>0'.

Try it now and see if it works. Both approaches are valid, it's just that the second one is more developed and thus looks smoother.

Prueba ahora si funciona. Ambos enfoques son válidos, sólo que el segundo está más avanzado y por eso parece más profesional.

This is what it should look like so far, see if you have it the same:

Así es como debería verse tu código ahora:

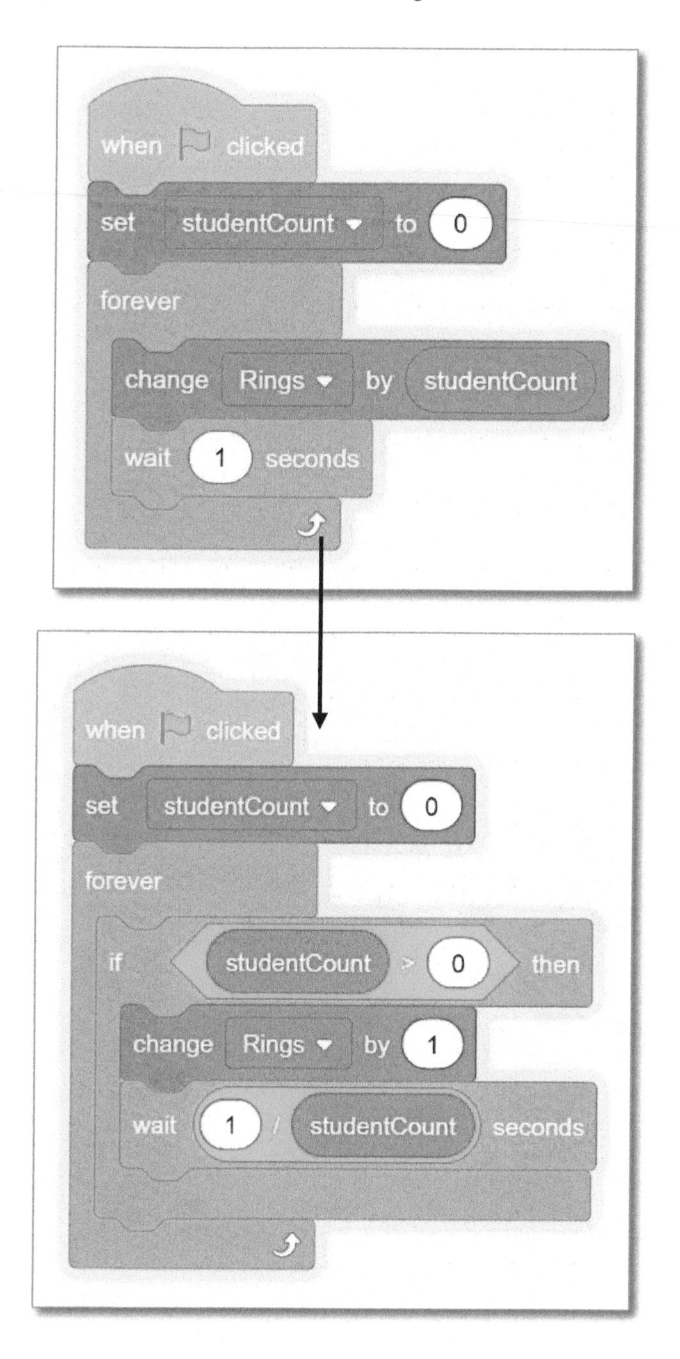

FINE TUNING THE GAME VARIABLES

It is always important to balance your game correctly. In this case, since we know that we are going to add more purchasable items, maybe the students are a little too fast at ringing bells.

To solve this we can change the wait time from 1/studentCount to a slower 5/studentCount, which should make it a little go at a better pace.

AJUSTANDO LAS VARIABLES DEL JUEGO

Es importante que tu juego esté correctamente balanceado. En este caso, ya que tenemos planes de agregar más ítems para comprar, a lo mejor los estudiantes son un poco rápidos tocando campanas.

Para solucionarlo podemos cambiar el tiempo de espera de 1/conteo de estudiante a 5/ conteo de estudiante. Esto lo debería hacer un poco más lento el proceso.

8 BELL RINGER GAME - PART 2

JUEGO DE LA CAMPANA - PARTE 2

ADDING MORE ITEMS TO BUY IN THE GAME

On the last chapter, we laid the groundwork for the base of the game. The next aspect on our agenda is to add more items for the player to buy, in order to provide a sense of progression.

Given that we already have students ringing bells, a potential item to add could be Teachers. To make them we need to create a 'Teacher' Sprite; but instead of making the entire Sprite all over again we can copy over the 'Student' Sprite. To do so, simply right click on the student Sprite in the list of Sprites in the bottom right, and then select duplicate. Afterwards, rename the new Sprite to 'Teacher'. Then, go to the variable list in the 'Teacher' Sprite and rename the 'studentCount' variable to 'teacherCount'. To re-name it you have to right click on it within the 'Variables' section, and

AGREGANDO MÁS ITEMS PARA COMPRAR EN EL JUEGO

En el último capítulo sentamos las bases del juego. Ahora podemos agregar más ítems para que el jugador pueda comprar, y que de al juego una sensación de progresión.

Ya que tenemos estudiantes que tocan campanas, un ítem interesante para agregar podría ser 'Profesores'. Para esto necesitamos crear Sprites de 'Profesores'; pero en vez de hacer un Sprite desde cero otra vez, podemos copiar el Sprite de 'estudiante'. Cliquea el botón derecho del ratón sobre el Sprite de estudiante que está en la lista de Sprites abajo a la derecha, y luego selecciona duplicar. Renombra tu nuevo Sprite 'profesor'. Ve a la lista de variables en el Sprite de 'Estudiantes' y renombra la variable de 'CantidadEstudiantes' por ejemplo

then select Rename variable. In this case, we are able to rename our variable without messing up the previous variable because as you may remember, when we created the variable, we made it a local variable. So, anything changed to this variable here will only be applicable to this Sprite.

Essentially, since it was a local variable, when you duplicated the Sprite, it duplicated the variable too. Then, move the new Sprite underneath the old Sprite. As you can see, the new Sprite's variable is currently hidden, sow we can make this appear by clicking on its checkbox in the top left.

Then, move the newly appeared variable to its new spot with the new duplicated Sprite. This should leave you with something like this:

a 'CantidadProfesores'. Para ello cliquea el botón derecho del ratón sobre éste dentro de la sección 'Variables', y luego selecciona 'Renombrar variable'. En este caso, podemos renombrar nuestra variable sin estropear la variable anterior porque como recordarás, cuando creamos la variable, la hicimos que aplique solo a este Sprite.

Como era una variable local, cuando duplicaste el Sprite, también se duplicó la variable. Luego, mueve el nuevo Sprite debajo del viejo. Como verás la variable del nuevo Sprite está escondida, entonces la podemos hacer aparecer cliqueando en su casilla de verificación arriba a la izquierda.

Luego, mueve la nueva variable a su nuevo espacio con su nuevo Sprite duplicado. Esto debería dejarte con algo así:

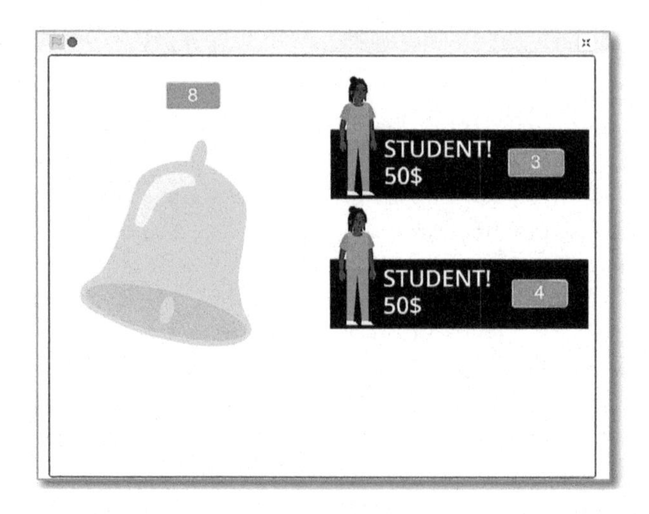

MODFIYING THE TEACHER SPRITE

As you may have realized, the new 'Teacher' Sprite still says student and has a student on it. So, we should fix this by going to its costumes section and adapting its different aspects.

Go ahead and delete the student Sprite costume and select a new one to represent the teacher. Then update the cost and the name to be more fitting. Since teachers will be the next logical progression, make them more expensive. I went ahead and re-adjusted the look of the text a little bit as well to suit my preference. I even changed the currency from 'Rings' to Bells as it makes more sense with the idea of the game. This is what I went for:

MODIFICANDO EL SPRITE DEL PROFESOR

Como te habrás dado cuenta, el nuevo Sprite del 'Profesor' aún dice estudiante y tiene un dibujo de un estudiante. Entonces, deberíamos arreglarlo y para ello hay que ir a la sección 'disfraces'.

Borra el disfraz del Sprite de estudiante y elige uno nuevo que sea más adecuado para representar a los profesores. Luego actualiza el coste y el nombre. Hazlo más caro ya que un profesor será la progresión lógica. También he cambiado la apariencia del texto para adaptarlo a mis preferencias y a la moneda le he llamado 'Campanas' (Bells) en vez de 'Campanadas'.
Me ha quedado así:

CONSISTENCY OF YOUR GAME

When you are coding you can change your mind as many times as you want and that's fine. However, it is important to remain consistent.

CONSISTENCIA DE TU JUEGO

Cuando estás programando puedes cambiar de idea todas las veces que quieras. Sin embargo, es importante que mantengas un mínimo de consistencia.

For example, since I changed the text and currency for the teacher Sprite, I had to do the same for the student Sprite.

Por ejemplo, ya que cambié el texto y la moneda en el Sprite de profesor, he hecho lo mismo con el Sprite de estudiante.

For this reason, now that I think about it, since we renamed the currency from rings to bells, we need to also make it so that the text telling you that you don't have enough money says 'bells' instead of 'rings'.

Por ello, ahora que lo pienso, como hemos cambiado el nombre de la moneda de 'Campanadas' a 'Campanas', también tenemos que hacer que el texto que indica que no tienes suficiente dinero diga 'campanas' y no 'campanadas'.

We simply need change the text 'Rings' on every single item. Like on any coding software, including Scratch, simply clicking several times on the word you want will have it automatically selected for you, instead of you having to manually highlight it all.

Simplemente necesitamos cambiar el texto 'Campanadas' en cada ítem. En cualquier código de software, incluyendo Scratch, cliqueando varias veces en la palabra que quieras, la tendrá automáticamente seleccionada en lugar de que tengas que resaltarlo todo manualmente.

UPDATING THE PRICE FOR THE TEACHERS

AJUSTANDO EL PRECIO DE LOS PROFESORES

Since we made the teacher more expensive, we now need to change the code of the teacher to reflect the higher price.

Ya que hicimos al profesor más caro, ahora nos toca cambiar el código del profesor para que refleje el nuevo precio.

You will need to change the values in your code so that it now checks to make sure that you have at least over 249 Bells before you buy a teacher; and that when you get one, you get taken away the new price of 250 Bells.

Tendrás que cambiar los valores en tu código para que verifique que el jugador tenga al menos más de 249 Campanas antes de que pueda comprar un profesor, y luego que le quite el precio de 250 Campanas de su cuenta.

Then, shorten the wait time to add new Bells from 5 to 0.5 seconds. This will make teachers 10 times faster at ringing bells than students, which makes sense because they are 5 times more expensive.

Try out the game and see if the new values work. This is how you code should look like so far:

Ahora, acorta el tiempo de espera para agregar nuevas campanas de 5 a 0.5 segundos. Esto hará que los profesores sean 10 veces más rápidos sonando campanas que los estudiantes ya que son 5 veces mas caros.

Prueba el juego y mira si funcionan los nuevos valores. Así es como debería lucir tu código ahora:

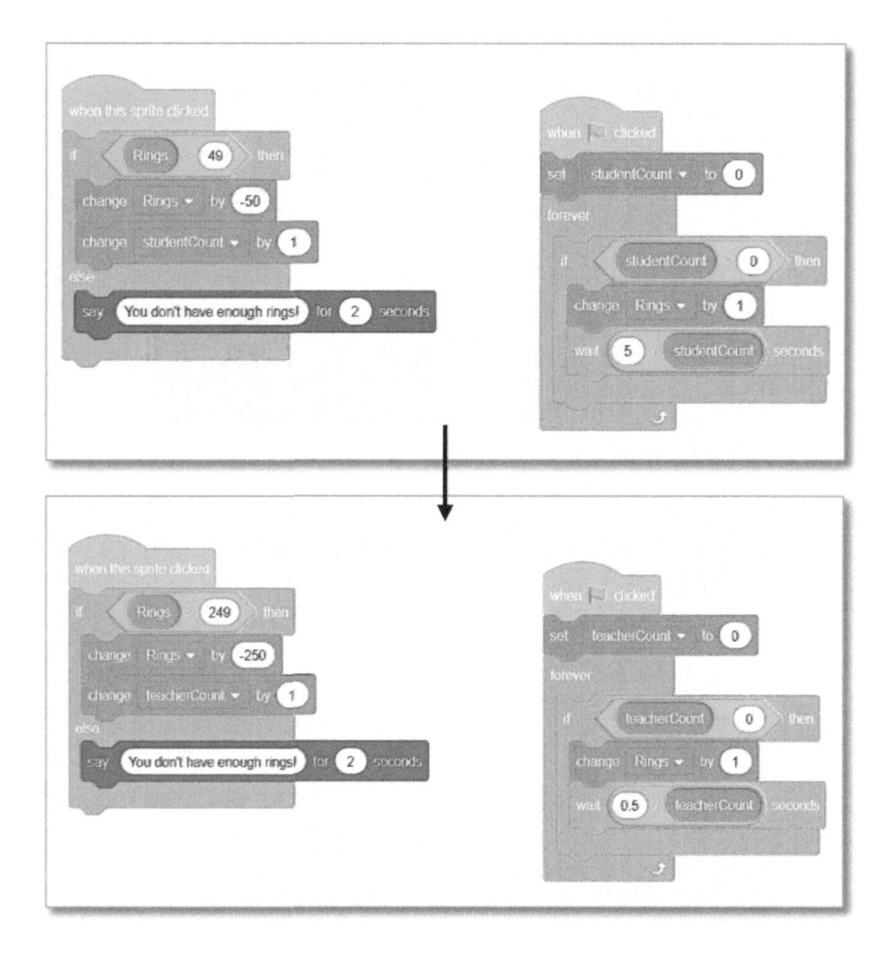

CUSTOMIZING THE LOOKS OF THE SPRITES

CAMBIANDO LA APARIENCIA DE LOS SPRITES

The good thing about Scratch is that you can easily change your Sprites and code at any time seamlessly. Whilst you are following my explanations you can of course introduce changes you like. For example, this is another way that we were considering making the Teacher Sprite:

Lo bueno de Scratch es que fácilmente puedes cambiar tu Sprite o código en cualquier momento. Mientras estás siguiendo mi explicación, tú puedes cambiar lo que gustes. Por ejemplo, esta es otra manera que estábamos considerando hacer el Sprite del profesor:

ADDING A THIRD SPRITE TO YOUR GAME

AGREGANDO UN SPRITE MÁS A TU JUEGO

To finish off the progression of our game, it would be cool to have a third unlockable item. Perhaps this final one could be called 'School' and cost as much as 1,000 Bells. See if you can make it by yourself**.**

Para terminar la progresión de nuestro juego, sería genial tener un tercer ítem desbloqueable. Quizás le podemos llamar 'Colegio' con un precio de 1.000 campanas. Intenta hacerlo.

Hint: You are going to need to copy one of your old Sprites using duplication and then adapt the code and its costume like we did last time. Just go ahead and repeat

Pista: Vas a tener que copiar uno de tus Sprites antiguos usando la función de duplicar y luego adaptar el código y sus disfraces como lo hicimos la última vez.

the steps of the last section.

Solution: Duplicate the 'Teacher' Sprite using duplication like last time (right click on the Sprite in the Sprite list). Rename the Sprite to 'School'. Then, change the text and the costume to represent a school that costs 1,000 Bells.

I personally went for the Sprite called 'Building-d' because unfortunately Scratch doesn't directly offer a 'School' Sprite.

Now you have to adjust all of the values to fit the new Sprite. Make the minimum required number of Bells 1,000 and thus make it also remove 1,000 Bells upon purchase.

Now we need to make the School produce more Bells. This is not that difficult, because we already did this for the Teacher.

Initially, you might think you need to make the wait time even smaller, however, this doesn't actually work because once the wait time gets too small, Scratch can't handle it anymore and it limits the number of Bells being produced.

To avoid reaching this limit, this time we might prefer to, instead of decreasing the wait time, just simply increasing the number of Bells. So, go ahead and change the number of bells to '5'.

Simplemente repite los pasos.

Solución: Duplica el Sprite de 'Profesor' (como ya lo hemos hecho antes) cliqueando el botón derecho del ratón sobre el Sprite. Cambia el nombre a 'Colegio', el disfraz a uno más adecuado para un colegio.

Yo elegí un Sprite llamado 'Building-d' porque Scratch no ofrece uno de un colegio.

Ajusta todos los valores para adaptarse al nuevo Sprite. Pon el número mínimo requerido de 1.000 campanas y haz que quite 1.000 campanas al momento de la compra.

Ahora tenemos que hacer al Colegio producir mas campanas. Esto no es nada difícil; ya lo hemos hecho para el profesor.

Quizás quieras hacer el tiempo de espera aún más corto, sin embargo esto no funciona porque cuando el tiempo de espera se hace demasiado pequeño, Scratch no lo puede controlar y limita el número de campanas producidas.

Para evitar alcanzar el límite, quizás sea mejor, en vez de disminuir el tiempo de espera, tan solo incrementar el número de campanas. Entonces, ve y cambia el número de campanas a '5'.

After all this work, your code should look like this.

Tu código debería verse así ahora después de todo este trabajo

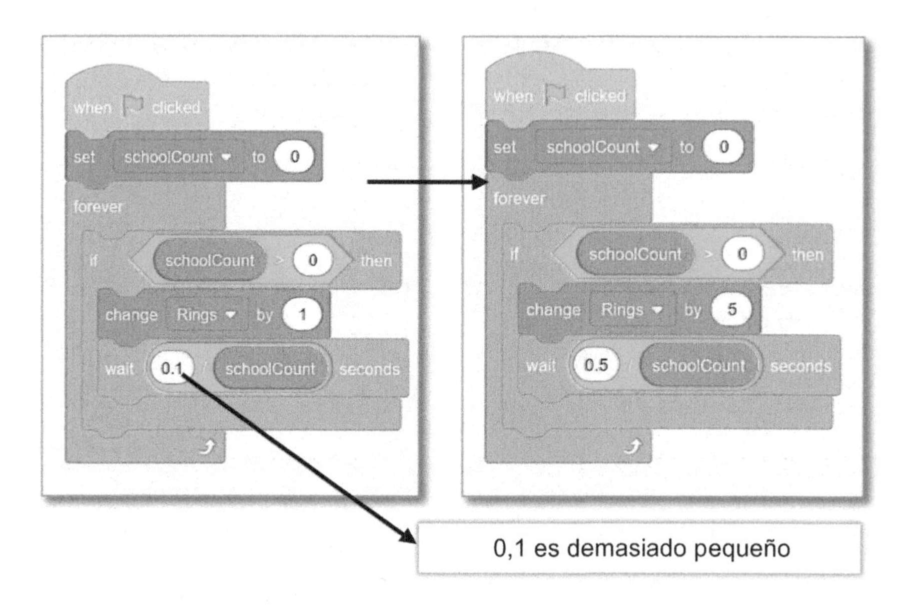

IMPROVING THE BACKGROUND

MEJORANDO EL FONDO DE TU JUEGO

The next thing to do would be improving the actual Backdrop itself.

Lo próximo a hacer será mejorar el fondo de nuestro juego para que se vea mejor.

Go to the 'Stage' section in the bottom right and select 'Backdrops'. Then, choose any backdrop that you like. Personally, I've gone for the plain Blue Sky, as often a simpler background helps to not distract the player from the game.

Ve a la sección 'Escenario' abajo a la derecha y selecciona 'Fondos'. Elige el fondo que te guste más, hay cientos. Personalmente, elegí el cielo azul liso, ya que a menudo un fondo simple ayuda a no distraer al jugador del juego y evita confusiones.

However, you might have realized that the way the number of Bells the player has is displayed isn't

Sin embargo, te habrás dado cuenta de que la manera como se muestra el número de campanas very clear. So, to improve this aspect of the game, we could add a small bell on the backdrop to make it clearer.

que tiene el jugador no es muy claro. Entonces, podríamos agregar una pequeña campana en el fondo para mejorarlo.

In gaming, it is very common and looks very professional to indicate how much of a certain currency you have using icons in the top left or top right of the screen.

En los juegos es común y luce muy profesional indicar cuántos puntos tienes usando iconos pequeños arriba a la izquierda o a la derecha de la pantalla.

So, add a little Bell Sprite near the top right of your screen to indicate how many bells the player has. Adding a Sprite to a backdrop is surprisingly not intuitive. Let me guide you!

Agrega un pequeño Sprite de campana arriba a la derecha de tu pantalla para indicar cuántas campanas tiene el jugador. Agregar un Sprite al fondo no es nada intuitivo. ¡Te guiaré!

You have to go to the costumes of a Sprite you already have and copy it over. In this case, we can simply go over to our Bell costume, select it all using ctrl-A and then copy it over.

Tienes que ir a disfraces de un Sprite que ya tengas y simplemente copiarlo. En este caso, ve sobre nuestro disfraz de campana, selecciónalo todo usando ctrl-A y luego cópialo.

To do the actual copying you need to use ctrl-C (this stands for control copy) once you have selected the whole Sprite. Then when you go back to your backdrop you have to use ctrl-V (to paste it).

Para copiarlo necesitas usar ctrl-C (esto significa control copiar) cuando ya hayas seleccionado todo el Sprite. Luego cuando regreses a tu fondo tienes que usar ctrl-V para pegarlo.

Ctrl-C and ctrl-V are very useful tools to quickly copy and paste items. This will also work outside of Scratch so give it a try in your own time.

Ctrl-C y ctrl-V son herramientas muy útiles para copiar y pegar rápidamente. Esto sirve también fuera de Scratch; prueba usarlo en otros programas.

Go ahead and move the copied Bell to the top-right of your canvas and make it much smaller.

Ahora mueve la campana que has copiado arriba a la derecha de tu pantalla y hazlo mas pequeño.

This is how it should look like:

Tu juego debería verse así:

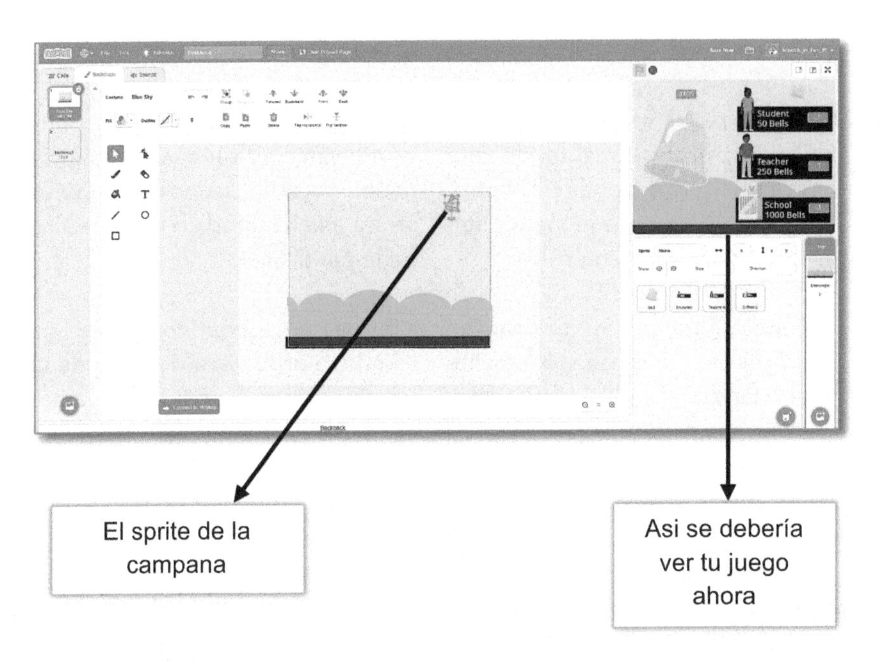

Then, move your number of Bells to the top right, to the right of the small Bell Sprite like this:

Luego, mueve el número de campanas hacia arriba a la derecha de la campana, así:

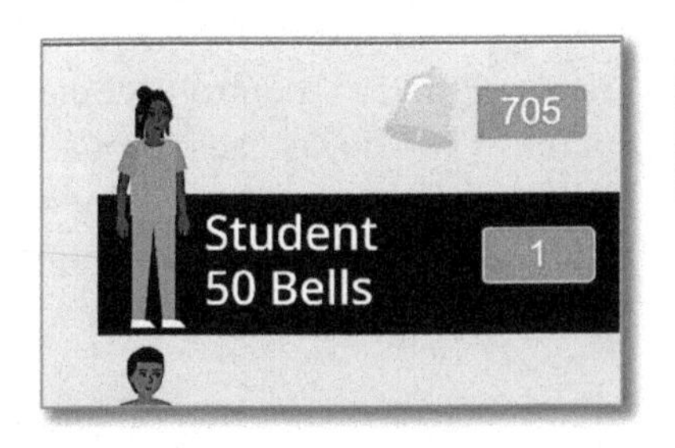

Cantidad de campanas que tiene el jugador

GIVING A NAME TO YOUR GAME

DÁNDOLE UN NOMBRE A NUESTRO JUEGO

Any good game needs a name. So, we can both rename our project to 'Bell Ringer', and we can also add the title onto the Backdrop so that

Todo buen juego necesita un nombre. Podemos renombrar nuestro proyecto a 'Juego de la Campana', y también podemos it is ever-present.

To add the title go back to your backdrop and add a text saying 'Bell Ringer' in whatever color and preferred font that you have.

agregar un nombre en el fondo.

Para agregar un título regresa a tu fondo y agrega el texto 'Juego de la Campana' en el color y tipo de letra que quieras.

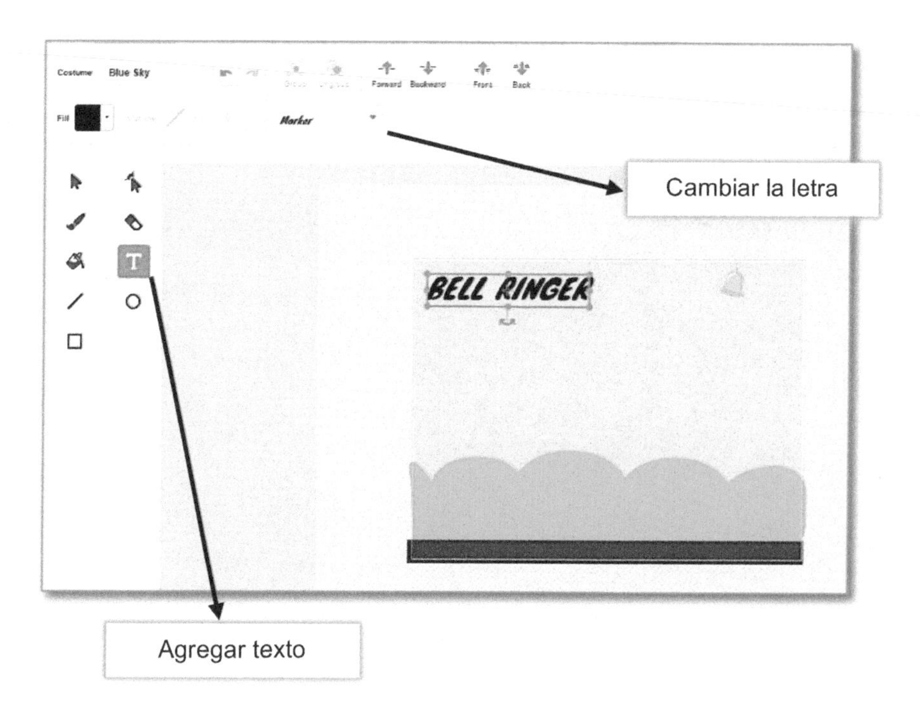

At this point, we already have the full game finished. All that is left is to add a few extra features in the next chapter.

A esta altura ya tenemos nuestro juego terminado. Solo nos queda agregar algunas funciones adicionales en el próximo capítulo.

¡NIVEL 9 DE EXPERIENCIA!
YA HAS LLEGADO AL ÚLTIMO CAPÍTULO
¡PRONTO HABRÁS APRENDIDO TODOS LOS SECRETOS NECESARIOS PARA PROGRAMAR LOS MEJORES JUEGOS!
1 2 3 4 5 6 7 8 9

BELL RINGER GAME - PART 3

JUEGO DE LA CAMPANA - PARTE 3

CLONING BELLS TO SHOW PROGRESS

Do you remember how during the Dove and Dragonfly game we used cloning to make several copies of the Dragonflies? Well, in this game it would be cool to create clones of the Bell in the background every time you click the Bell. This would act as a sort of animation to showcase the progress in the game.

In this way, as you get better, more bells will physically appear in the background. To do this we will need the cloning that you learned earlier. Try and see if you can code it yourself.

Hint: You are going to need to use broadcasting messages like we used earlier. This message should be broadcasted every time that a new bell is earned. Then, a clone should be created once it receives this message. However, in this case, we will need to make a new

CLONANDO CAMPANAS PARA MOSTRAR EL PROGRESO

¿Recuerdas como hemos hecho clones para hacer copias de libélulas durante el juego de la paloma y la libélula? Pues he pensado que sería genial en nuestro juego crear en el fondo clones de la campana cada vez que la cliqueas, lo cual sería una especie de animación para mostrar el progreso en el juego.

De esta manera, a medida que progresas en el juego, habrán más campanas en el fondo. Para hacer esto necesitaremos la clonación que aprendimos anteriormente. Prueba a ver si lo puedes hacer.

Pista: Necesitarás usar la función de enviar mensajes como lo hicimos con la paloma y la libélula. El mensaje será emitido cada vez que ganes una nueva campana, y eso hará que se cree un nuevo clon. Sin embargo, en este caso necesitaremos hacer un nuevo

Sprite similar to the Bell, and the cloned version will also need some code. I will guide you!

Solution: To do this, we first need to make a new Sprite called 'Belldrop'. Then, we need to immediately set it so that 'when green flag clicked' the new Sprite hides itself as it won't be this Sprite that we will see but instead its clones. Remember that we did this last time? Well, we simply need to add a 'hide' block underneath a 'when green flag clicked'. The 'hide' block you will find in the purple section of 'Looks'.

However, there is another way to do this that may be simpler. Remember that we leant that clicking on a block will run its code just once? Well, now what we need is to hide the new bell Sprite just once, as we plan to show all of its clones but not the original.

Also, remember to add the Bell costume to the new 'Belldrop' Sprite.

Then, over in the code of the original Bell we need to broadcast the message 'BellClicked'. To do so put a 'broadcast BellClicked' block underneath a 'when green flag clicked' block. You might be thinking that we could have simply used a block 'create clone of Bell' like we did with the dragonflies last time. However, in this case its

Sprite similar a la Campana ya que el clon también necesitará algún código. ¡Yo te guiaré!

Solución: Necesitaremos un nuevo Sprite y le llamaremos 'Belldrop'. Necesitamos configurarlo para que 'al hacer clic en la bandera verde' el nuevo Sprite quede escondido, ya que no será este Sprite el que veremos sino su clon. Recuerda que ya hemos hecho esto antes: agrega el bloque 'esconder' debajo de 'al hacer clic en la bandera verde'. El bloque de 'esconder' lo encontrarás en la sección púrpura de 'Apariencia'.

Hay otra manera de hacer esto que quizás sea más simple. ¿Recuerdas que hemos aprendido que haciendo clic en un bloque hacía que se ejecute una sola vez? Pues ahora necesitamos esconder el nuevo Sprite de la campana tan solo una vez, para así mostrar solamente los clones.

Recuerda agregar el disfraz de Campana al nuevo Sprite 'Belldrop'

Luego, tenemos que emitir el mensaje 'campana cliqueada' en el código de la campana original. Para esto usa el bloque de eventos 'enviar mensaje campana cliqueada' debajo del bloque de la bandera verde. Habrás pensado que podríamos haber usado el bloque 'crear clon de campana'

better to use the broadcast block as there are multiple sources of where new Bells can come from. Remember we can have new bells from clicking but also from students, teachers and schools. Thus, here we need to use the broadcast command instead.

como hicimos con la libélula. Sin embargo, en este caso es mejor usar el bloque de enviar mensaje ya que hay múltiples fuentes de donde vienen las campanas nuevas. Recuerda que podemos tener nuevas campanas cliqueando, pero también de estudiantes, profesores y colegios. Por eso, tenemos que usar el comando de transmisión en su lugar.

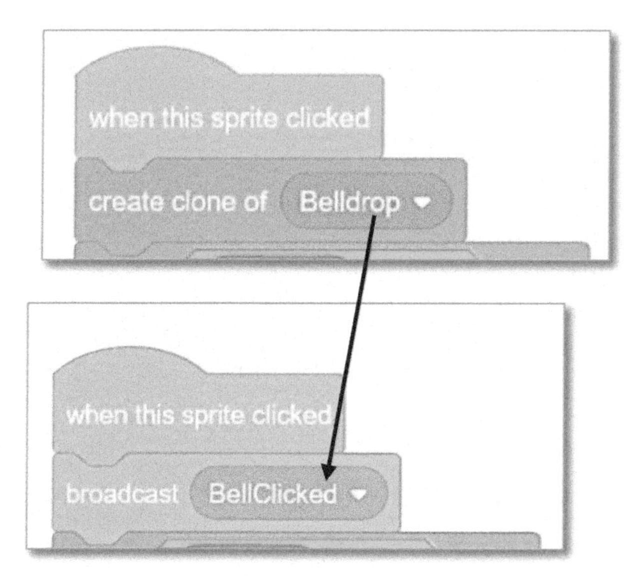

Now we need to include the broadcast command in every other scenario where new bells are produced. This includes every time that Students, Teachers or Schools generate them.

So, in their respective coding areas of each Sprite, we need to add 'broadcast BellClicked' after their designated waiting time.

También tenemos que incluir el comando de enviar mensaje en todos los casos en que sean producidas campanas, incluyendo estudiantes, profesores y colegios.

Entonces, agreguemos 'enviar mensaje campana cliqueada' en las respectivas áreas de código de cada Sprite después del bloque de tiempo de espera.

It is true that the waiting time for schools and teachers are the same and this will mean that schools will actually broadcast the message less than the number of bells that they produce.

Es verdad que el tiempo de espera para alumnos y profesores es el mismo y por ello los colegios emitirán el mensaje menos veces que el número de campanas que producen.

But we will decide to ignore this, because by that time you are already producing so many bells that it won't be noticeable.

Sin embargo, vamos a ignorar este tema porque para ese momento estarás produciendo tantas campanas que no será perceptible.

Despite this, if you want to try and solve this problem, a possible solution would be to simply broadcast the message 5 times.

A pesar de esto, si quieres tratar de solucionar este problema, una posible solución sería transmitir el mensaje 5 veces.

Let's continue. Now, within the coding area for the 'Bell' you are going to need to add the 'when I receive BellClicked' block with a 'create clone of BellDrop' block underneath it.

Continuemos. Dentro del área de código para el Sprite de la 'Campana' agrega el bloque 'al recibir campana cliqueada' y por debajo de éste, pon el bloque 'crear clon de Belldrop'.

This will make it so that every time it receives this message, it will clone our extra Sprite.

Esto hará que cada vez que reciba este mensaje, clonará nuestro Sprite.

Notice that this wouldn't work if it was within the coding area of 'BellDrop' and it was duplicating itself, because then it would exponentially create more versions of itself, which doesn't actually represent the amount of clicks.

Fíjate que esto no funcionaría si fuese dentro del área de código del 'Belldrop' y este se duplicase a si mismo, porque en ese caso crearía exponencialmente más versiones de si mismo, lo cual no representa la cantidad real de clics.

Afterwards, we need to make the clone appear randomly in the background at a small size. To make this happen, add the 'when I

Luego tenemos que hacer que el clon aparezca aleatoriamente en el fondo en tamaño pequeño.

start as a clone' block with a 'show' and a 'go to random position' block underneath.

Then you will need to add a 'set y to 240' block that you will find in the blue 'movement' section, underneath all of this in order to ensure that whilst its position horizontally is random, it always starts at the top of the screen.

With that you are done with the clone creation process. This was likely one of the toughest challenges yet so if you are lost here is the code you need:

Agrega el bloque 'al comenzar como clon' con los bloques 'mostrar' e 'ir a posición aleatoria' por debajo.

Luego agrega debajo de todo esto el bloque 'dar a y el valor 240' que encontrarás en la sección azul de 'movimiento', para asegurar que mientras la posición horizontal es aleatoria, siempre empieza en la parte superior de la pantalla.

Con este paso ya has terminado con el proceso de clonación. Este es probablemente el desafío más complicado hasta ahora. Así que si estás perdido aquí tienes el código que necesitas:

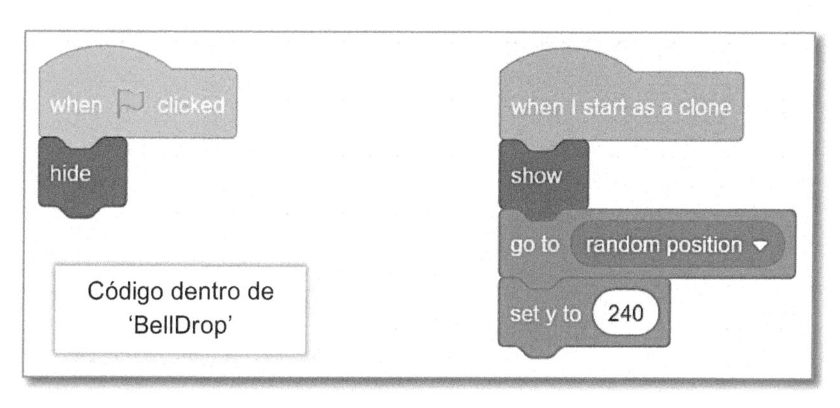

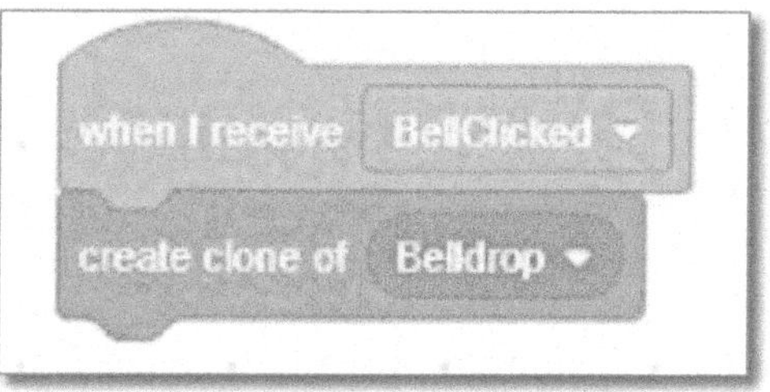

Nuevo código dentro de la campana original

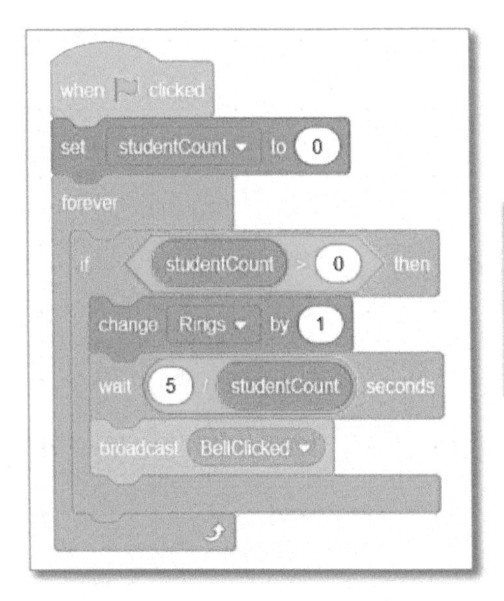

Bloque de 'enviar mensaje' dentro de los códigos de los sprites de 'student' 'teacher' y 'school'.

HOW TO ANIMATE THE FALL OF AN OBJECT

The next thing to do is make the new cloned versions of the Bell actually slowly descend across the backdrop.

To do this, simply add a 'forever' block underneath the 'when I start as a clone' block. Here, add the block 'change y by -2'. This will make it slowly go forever downwards.

After this, we need to make the Bell disappear once it goes too low. It's not difficult; just follow me step by step. Add an 'if' block inside the 'forever' block.

CÓMO ANIMAR LA CAÍDA DE UN OBJETO

Lo próximo que vamos a hacer es que la nueva versión clonada de la campana descienda lentamente por el fondo del juego.

Para ello, agrega el bloque 'por siempre' debajo del de 'al comenzar como clon', y debajo agrega el bloque 'sumar a y -2'. Esto lo hará ir por siempre, lentamente hacia abajo.

Ahora necesitamos hacer que la campana desaparezca cuando llegue abajo. Para esto, agrega un bloque de 'si' dentro del de 'por siempre'.

Below add a '__ < -180' block from the 'Operators' section. In the empty slot add the small 'y-position' blue block found in the bottom of the 'Motion' section.

This means that now the game will realize when the Bell has gone off-screen. At this point, it should delete itself in order to not overload the game.

So, we can add a 'delete this clone' block from the 'Control' section inside the 'if' block.

Now, when the cloned bell get's to the bottom of the screen, it will delete itself.

Debajo agrega el bloque de '__<-180' de la sección 'Operadores'. En el espacio vacío agrega el pequeño bloque azul de 'posición en y' que encontrarás en la sección 'Movimiento'.

Ahora el juego se dará cuenta cuando la Campana se va de la pantalla, y en ese momento se borrará para no sobrecargar el juego.

Para ello debemos agregar un bloque de la sección de 'Control' 'eliminar este clon' dentro del bloque 'si'.

Ahora, cuando la campana clonada llegue al límite de abajo de la pantalla se borrará.

PUTTING ORDER TO OBJECTS ON THE SCREEN

In Scratch all objects on the screen have an order. Usually, the newest ones that you have made will be in front of the older objects.

To check this simply drag an object on top of another and see which one remains visible.

For this game, it would be very annoying if the clones appear on top of the other objects, as it would prevent you from clicking the bell or from purchasing items in the game.

ORDENANDO LOS OBJETOS EN PANTALLA

En Scratch todos los objetos que están en la pantalla tienen un orden. Usualmente, los objetos más nuevos estarán adelante.

Para ver el orden puedes arrastrar un objeto por encima de otro y ver cuál se mantiene visible.

Para este juego sería molesto si los clones apareciesen en la pantalla por encima de otros objetos, ya que esto no te dejaría cliquear la campana o comprar un ítem durante la partida.

So, to fix this simply click and hold onto all those objects that you want to bring to the front for a couple seconds. That simple.

Another useful tip would be to make the 'BellDrop' Sprite smaller, so it doesn't disturb the player. I like size 20 for it, but you can choose what you prefer for yourself.

Just try and see. Another way of fixing this would just be to add the block 'set size to 20%' under 'when I start as a clone'. Either works.

Para arreglar esto, cliquea por un par de segundos a todos los objetos que quieras traer adelante del resto. Es así de simple.

Otro consejo útil seria hacer el Sprite 'BellDrop' más pequeño para que no moleste al jugador. A mí me gusta el tamaño 20, pero tú puedes elegir el que más prefieras.

Prueba distintos tamaños y elige. Otra manera de arreglar esto sería agregar el bloque 'fijar tamaño al 20%' debajo de 'al comenzar como clon'. Ambos funcionan.

ADDING THE GHOST EFFECT TO THE CLONES

A final touch that we could add to the cloned Sprites would be the ghost effect. The ghost effect will simply make the clones a bit transparent to really highlight the fact that they are simply clones.

To add this, simply use the 'set __ effect to 50' and then select the 'ghost' effect.

Put this block under 'when I start as a clone'. After this, your code should look like the one below:

AGREGANDO EL EFECTO FANTASMA A LOS CLONES

El toque final que le podemos agregar a los Sprites clonados sería el efecto fantasma. Este efecto los hará un poco transparentes para destacar que son simplemente clones.

Pon un bloque de 'dar al efecto__ el valor 50' y luego selecciona el efecto 'desvanecer'.

Pon este bloque por debajo de 'al comenzar como clon' Ahora, tu código debería estar así:

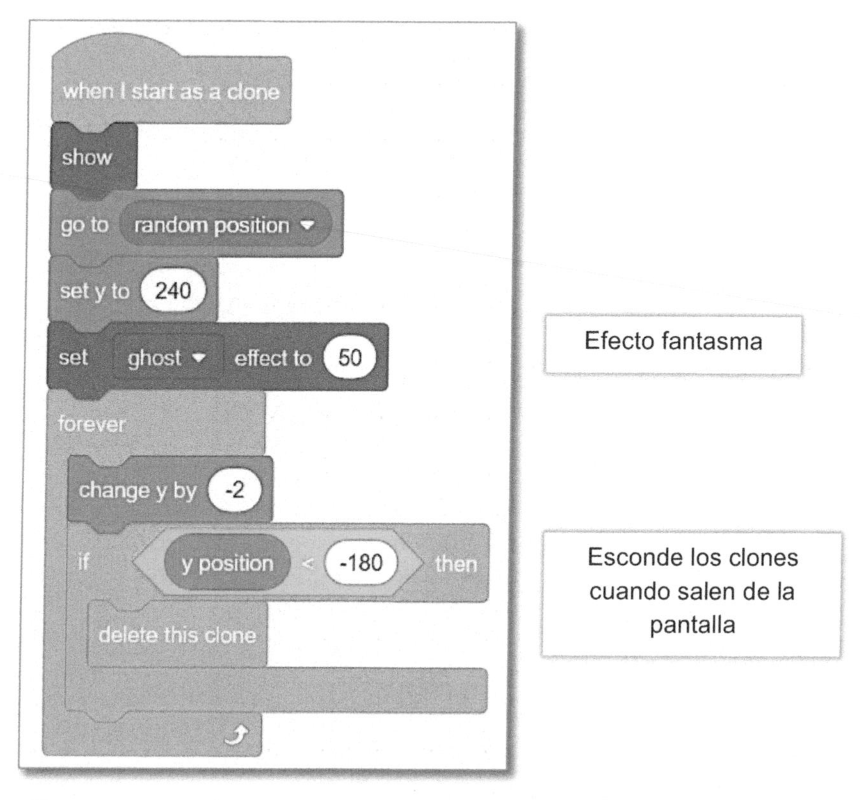

ADDING POWERUPS TO YOUR GAME!

After this, there is just one main feature to be added. If you've ever played Cookie Clicker you may know that apart from buying extra items, you can also buy powerups. For this game we are going to introduce a powerup that makes it so that when you click, instead of giving you one bell, it gives you many.

First of all, copy the 'school' Sprite, and rename the new one to 'crab'. However, since this new Sprite is going to be a powerup and not a

POTENCIADORES PARA TU JUEGO

Después de esto, solo queda agregar un componente principal. Si alguna vez jugaste al Cookie Clicker, a lo mejor recuerdes que además de comprar ítems, puedes comprar potenciadores. Para este juego podemos incluir un potenciador que hará que cuando hagas clic, en vez de una campana te de muchas.

Primero, copia el Sprite 'colegio' y ponle de nombre 'cangrejo'. Sin embargo, como el nuevo Sprite será un potenciador y no un ítem

standard item, we are going to need to change the code significantly from what it is at and not just adjust the values. So let's go step by step.

normal, tendremos que cambiar significativamente el código respecto al que tiene ahora, no solo ajustar los valores. Iremos paso a paso.

First things first though, we need to adjust the Sprite to look more like a crab.

¡Primero lo primero! Necesitamos ajustar el Sprite para que se parezca más a un cangrejo.

Follow the same procedure to change the looks as usual and change its cost to 500 bells.

Repite el proceso de siempre y cambia el aspecto del Sprite, y luego su costo a 500 campanas.

Then, move this Sprite to the last available empty spot on your screen that if it looks like mine, it will be in the bottom left. This is what I have so far:

Luego coloca el nuevo Sprite en el último espacio vacío disponible en tu pantalla, que si está como la mía, será abajo a la izquierda. Así se ve mi pantalla ahora:

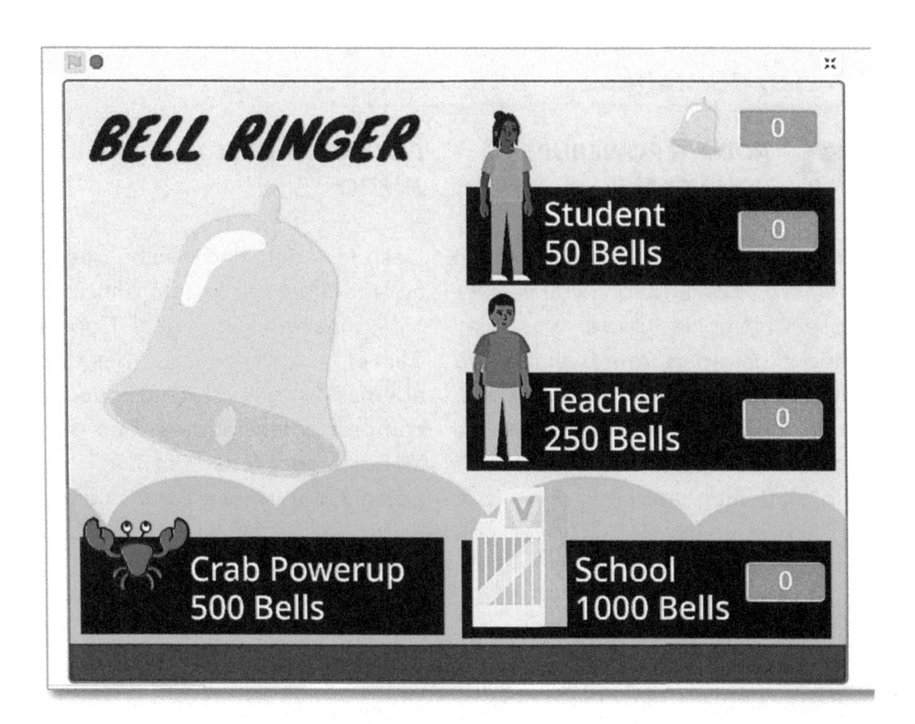

Then, we need to re-adjust its values on the code. It has to charge you 500 bells and also check that you have over 499 bells in order to make sure that you can afford it.

Ahora necesitamos reajustar los valores en el código. El juego tiene que cobrar 500 campanas y chequear que tienes mas de 499 para asegurase que lo puedes pagar.

Since the crab powerup won't actually generate any bells by itself, we can delete the block that increases the number of bells and also the 'wait time' that comes with it.

Ya que el cangrejo potenciador no generará campanas por sí mismo, podemos borrar el bloque que incrementa el número de campanas y el del tiempo de espera viene con este.

APPLYING THE EFFECT

APLICANDO EL EFECTO

We need to completely re-make the set of blocks underneath 'when green flag clicked'. First of all we need to add the 'show' block because as you will see later it will get hidden once it's clicked (as it is a onetime consumable powerup).

Tenemos que rehacer el conjunto de bloques debajo de 'al hacer clic en la bandera verde'. Necesitamos agregar el bloque 'mostrar' porque como verás más tarde quedará escondido una vez cliqueado (potenciador de un solo uso).

Then you must delete the new local duplicated variable and create a new variable for all Sprites named 'crabCount'.

Luego debes borrar la nueva variable local y crear una nueva variable para todos los Sprites llamados 'crabCount'.

This 'crabCount' variable will be mostly symbolic as you can only have either 1 or 0 crabs but it will help with setting up the code later.

La variable 'crabCount' será simbólica ya que sólo puedes tener 1 o 0 cangrejos, pero ayudará luego a configurar el código.

Now, add a 'forever' block with an 'if' block inside that broadcasts a new message called 'Crab' which we will use later. The requisites for

Ahora, agrega el bloque 'siempre' con un 'si' dentro que transmita un nuevo mensaje llamado 'Cangrejo' this 'if' block are for the 'crabCount' to be greater than 0.

el cual usaremos más tarde. Los requisitos para el bloque 'si' son para que el 'recuento de cangrejo' sea más grande que 0.

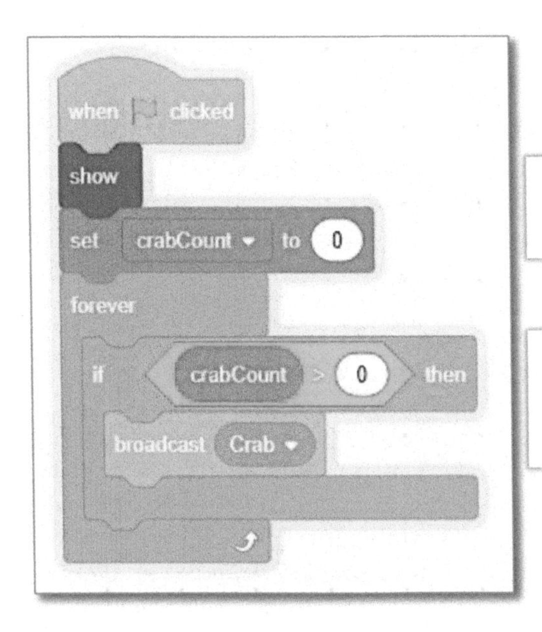

Pone a cero la cuenta de cangrejos

Verifica si los has comprado, y si lo has hecho, envía el mensaje

Then, on the set of blocks underneath the 'when this Sprite is clicked' block we need to set the 'change __ by 1' block to our new variable (crabCount).

Then, underneath this you need to use the 'hide' block to hide the item once you bought it.

This is roughly what it should look like so far:

Luego en el conjunto de bloques debajo del bloque 'al hacer clic en este objeto' necesitamos programar el bloque 'sumar a mi variable__ 1' con crabCount (recuento de cangrejos).

Luego, debajo de esto necesitas usar el bloque 'esconder' para esconder el ítem una vez comprado. Así es como debería ser hasta ahora:

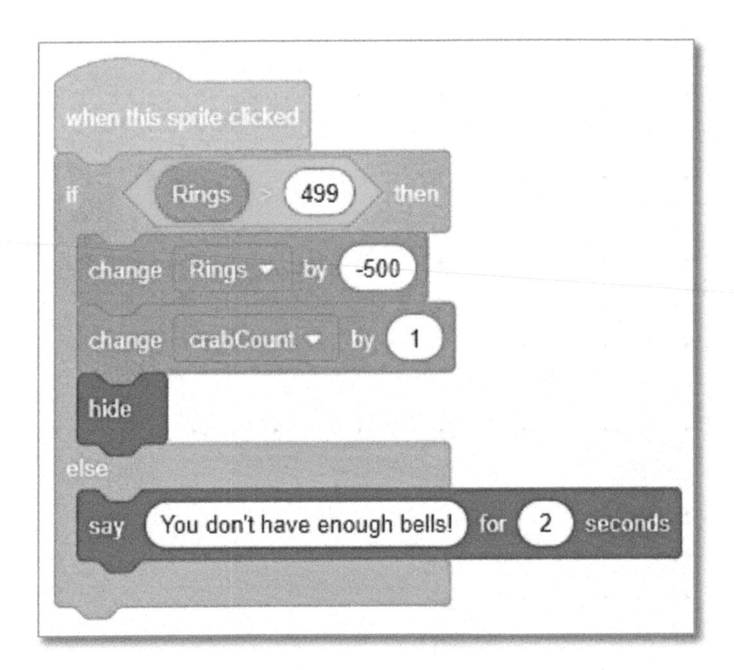

Then, if we return to the original 'Bell' Sprite, we need to edit how its clicking mechanics work.

We need to add an encompassing 'if else' block and place all of our old code in the 'else' section. This is what will happen if the powerup is not active. So, inside the 'if' we need to add the same code but change the number of 'bells' by 3. The requisite for this 'if' block will be for 'crabCount' to be less than 0. Why less than 0 and not more than 0? Well, because you will later see that we take away 2 from the 'crabCount' after 1 second once you bought it, and so it will only be active once it is lower than 0.

We only initially raise it above 0 to

Si volvemos al sprite original de la 'campana', necesitamos editar su mecánica de cliqueado.

Necesitamos agregar un bloque envolvente 'si entonces' y colocar los códigos viejos en la sección 'si no'. Esto es lo que pasará si el potenciador no está activo. Dentro del 'si' necesitamos agregar el mismo código, pero cambiar el número de 'campanas' por 3. El requisito para el 'si' será para 'crabCount' menor que 0. ¿Por qué menor que 0 y no mayor que 0? Porque verás más tarde que sacamos 2 de 'crabCount' después de 1 segundo una vez comprado, y solo estará activo si es menor que 0.

Sólo lo llevaremos por encima de

trigger an animation sequence that I will explain later.

This is what this clicking code should look like now:

0 al principio para activar la animación que explicaré más tarde.

Así debería ser este código:

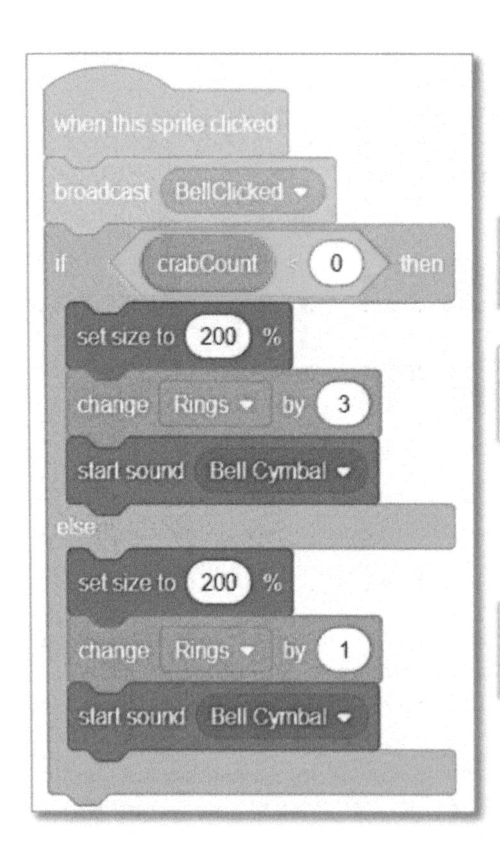

Verifica que el powerup esté activo

Si el powerup está activo, da 3 campanas por clic

Si el powerup **no** está activo, da 1 campana por clic

Finally, the last thing we need for this to work is for the value of 'crabCount' to go down by 2 after it's bought to actually trigger the process.

Going back to the 'Crabs' Sprite coding area make it so that after it gets hidden, it waits 1 second and then changes the 'crabCount' by -2.

Finalmente, lo último en lo que necesitamos trabajar es que el valor de 'crabCount' baje en 2 después de su compra para activar el proceso.

Volviendo al código del Sprite 'Cangrejos' hay que hacer que después de esconderse, espere 1 segundo y luego cambie el 'crabCount' en -2.

Do this using their respective blocks.

Hacer esto en sus respectivos bloques.

There you go, at this point the powerup works properly. Go ahead and try your game to see if it all works as expected. If there are any errors go back to see where you made them, and check that your code looks like mine.

Llegado a este punto, el potenciador debería funciona adecuadamente. Prueba tu juego para ver si todo funciona como esperabas. Si hay errores regresa a ver dónde los has hecho, y compara con mi código.

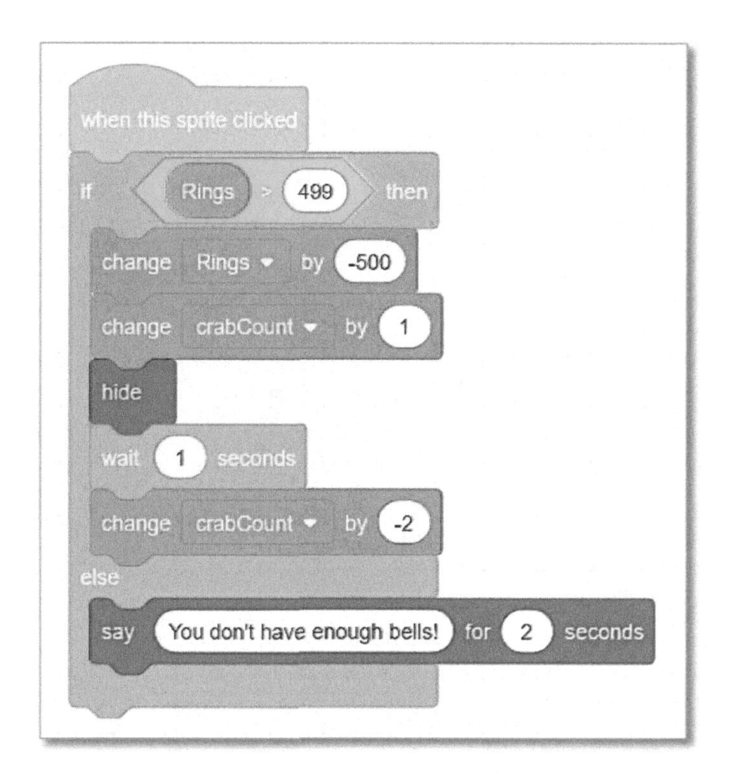

ADDING AN ANIMATED CRAB

AGREGANDO UN CANGREJO ANIMADO

You might have been asking yourself why we did the bizarre thing of increasing the 'crabCount' by 1 at first but then decreasing it

A lo mejor te habrás preguntado por qué hemos programado que primero se incremente el 'crabCount' en 1 para luego by 2. Well, it was in order to set up the animation of the crab which will be triggered when the 'crabCount' momentarily reaches 1.

disminuirlo en 2. Fue para que la animación del cangrejo se active cada vez que 'crabCount' alcance temporariamente 1.

Go ahead and create a new Sprite called 'Crab2' and simply import the crab Sprite from Scratch. Drag it until it is right under the bell and hold it to make sure it lays its claws slightly above the bell. Currently it is right above the 'Crabs' Sprite. However, this is fine, as when one appears the other one should disappear. Thus, in the 'Crab2' Sprite add a 'hide' block underneath a 'when green flag clicked' block.

Prueba crear un nuevo Sprite llamado 'Cangrejo2' e importa el Sprite cangrejo de Scratch. Arrástralo hasta que esté justo abajo de la campana y cógelo para asegurarte que pone sus pinzas sobre la campana. Queda justo arriba del Sprite 'Cangrejos'. Esto está bien, ya que cuando uno aparece el otro debería desaparecer. En el Sprite 'Cangrejo2' agrega el bloque 'esconder' debajo del bloque 'al hacer clic en la bandera verde'.

Then, add a block that can detect when you broadcasted the message 'Crab'. This block is 'when I receive Crab'. Underneath it add the 'show' block and a 'forever' block. Inside this 'forever' block add the 'wait 1 seconds' and 'next costume' blocks respectively. This will make it so that the crab will be opening and closing its claws every second so that it looks like it's helping you ring some bells. This animation will help making your game look more professional.

Ahora, agrega un bloque que pueda detectar cuando has difundido el mensaje 'Cangrejo'. Este bloque es 'cuando yo recibo Cangrejo'. Debajo de este agrega los bloques 'mostrar' y 'por siempre'. Dentro del bloque 'por siempre' agrega los bloques 'esperar 1 segundo' y 'siguiente disfraz' respectivamente. Esto hará que el cangrejo abra y cierre sus pinzas cada segundo para que parezca que te está ayudando a tocar algunas campanas.

Essentially, what we did here was, increase the 'crabCount' to 1 in order to broadcast the message once and trigger the animation. This works because the animation

Lo que hicimos aquí fue, aumentar el 'crabCount' a 1 para difundir el mensaje una vez y activar la animación. Esto funciona porque la animación se ejecuta en un bucle 'por siempre' y necesita la difusión runs on a 'forever' loop and thus only needs the broadcast once.

una vez.

However, the clicking mechanic constantly checks to see what the 'crabCount' is, and thus we had to leave the 'crabCount' at a value that would satisfy that 'if' block. So, by reducing the 'crabCount' to -1 and checking if 'crabCount < 0' we can make sure to keep this one valid onwe second after buying the powerup!

De esta manera, el código verifica constantemente el 'crabCount', y por lo tanto tuvimos que dejar el 'crabCount' a un valor que satisfaga ese bloque 'si'. Reduciendo 'crabCount' a -1 y chequeando si 'crabCount es <0' podemos asegurar mantenerlo válido un segundo después de comprar el potenciador!

With this the entire game is finished. This is your first ever fully completed professional game. Go ahead and show it off to your friends and family!

Con esto el juego está terminado. Este es tu primer juego profesional enteramente terminado. ¡Si quieres muéstralo a tus familiares y a tus amigos!

This is what the final game looks like **(as well as the final piece of code)**:

Así queda el juego finalizado (y también la última parte del código):

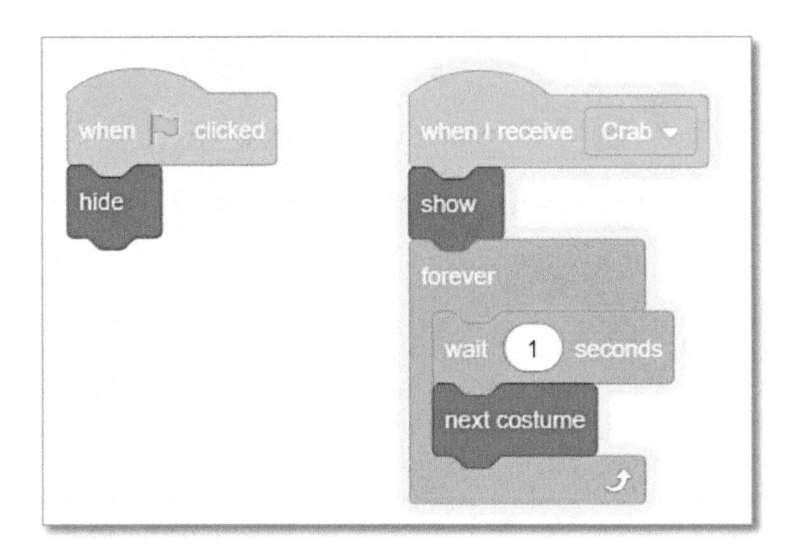

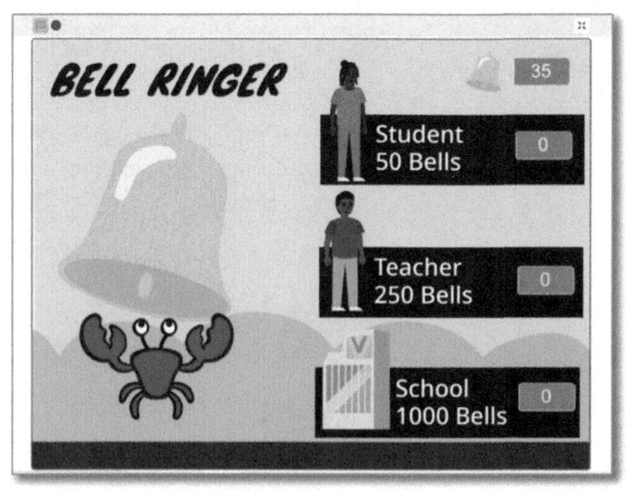

Thank you very much for reading this book on how to code using Scratch! We sincerely hope that you enjoyed reading it and that you are now ready to embark into coding your first ever full game all by yourself using the tips, tricks and techniques that you learnt here.

Gracias por leer este libro sobre como programar usando Scratch! Sinceramente esperamos que te hayas divertido leyéndolo y que te embarques en programar tu primer juego haciéndolo por ti mismo usando los consejos, trucos y técnicas que has aprendido en este viaje.

Don't forget to check out our website if you want to download the Catku Sprite model. Also, please enjoy the special extra 'chapter 10' where you will find a long list of examples of ready made codes for many applications and tricks. As you are coding don't hesitate to go back to 'chapter 10' for any mechanics or aspects that you may have forgotten.

No te olvides de visitar nuestra página web si quieres descargar el Sprite de Catku. Disfruta del 'Capitulo 11' en el cual encontrarás una larga lista de códigos listos para usar con muchas aplicaciones y trucos que podrás utilizar en tus proyectos. No dudes en volver al 'capitulo 10' por cualquier duda que tengas o códigos que te hayas olvidado de cómo hacerlos.

10 PRESET CODING BLOCKS

EJEMPLOS DE CÓDIGOS

A LIST OF COOL CODE SAMPLES

This chapter is a reference of different coding blocks that you might find useful. As you are coding your own personal Scratch projects, feel free to come back to this chapter to take inspiration from some of these pre-made aspects that you might have forgotten.

You should also feel free to simply copy these blocks if you are lost on how to code something. A large part of coding is researching certain aspects that you are unsure on how to code and copying.

Always remember to experiment, change values, and learn from trial and error.

For more ideas, downloading our exclusive Sprites and more, visit: www.scratchcodingbook.com

UNA LISTA DE EJEMPLOS ÚTILES

Este capítulo incluye una serie de ejemplos de códigos listos para usar que te serán muy útiles. Mientras estas programando tu propio proyecto de Scratch, siéntete libre de regresar a este capítulo para tomar inspiración de algunos códigos o repasar cosas que puedas haberte olvidado o simplemente copiar estos bloques. Una gran parte de programar se trata de investigar y ver cómo lo hacen otros. Recuerda que experimentar es una parte importante del proceso de aprendizaje. Prueba diferentes bloques, cambia los valores, y permítete cometer errores. Así es cómo aprenderás.

Para bajarte nuestros Sprites exclusivos y mucho más visita: www.scratchcodingbook.com

GRAVITY

GRAVEDAD

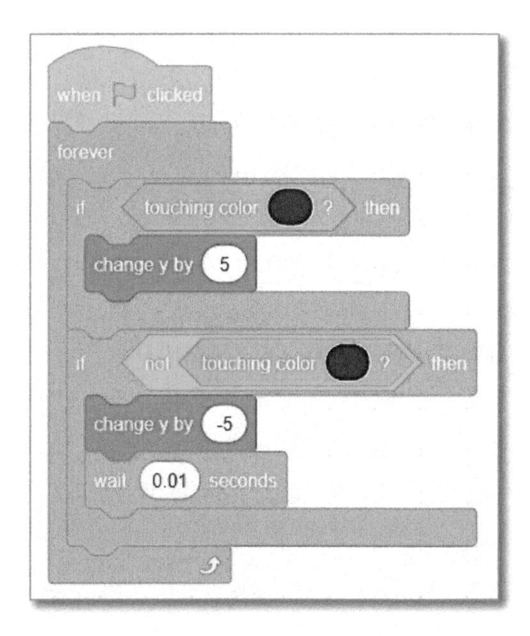

El color del suelo

La fuerza de gravedad

Frecuencia de actualización

BASIC MOVEMENT

MOVIMIENTOS BÁSICOS

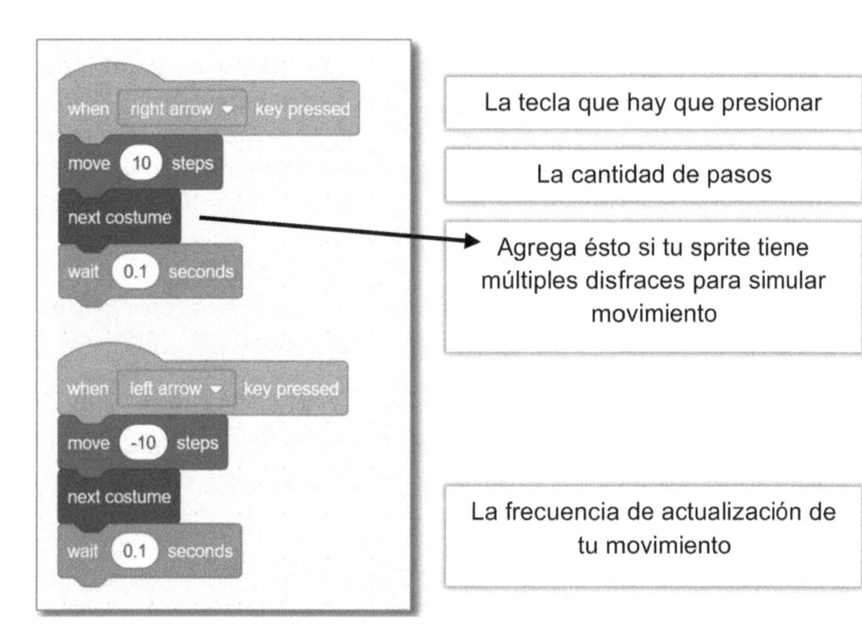

CONSTANT MOTION　　MOVIMIENTO CONSTANTE

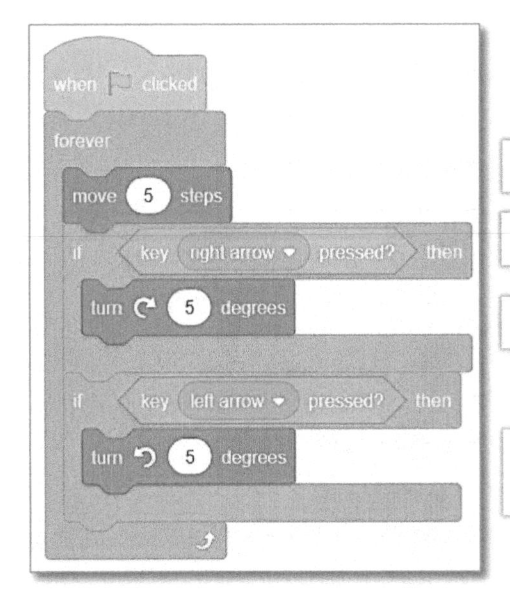

The speed of the movement

La tecla que se presiona

Grados que gira

Lo mismo, pero girando en el sentido opuesto

TURN AWAY WHEN TOUCHING THE EDGE　　GIRAR Y ALEJARSE DEL BORDE

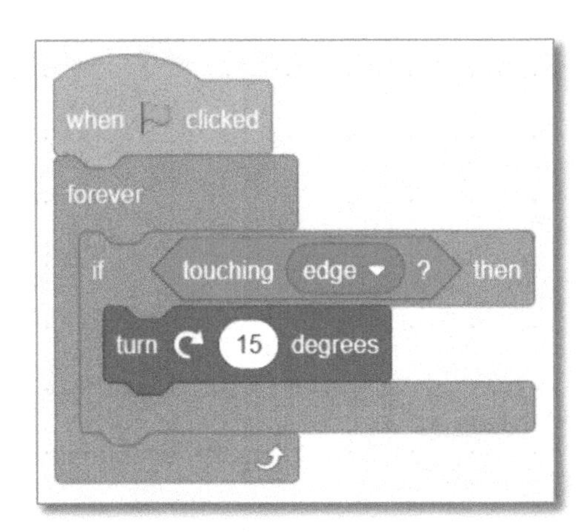

Cantidad de grados que gira

BOUNCE AWAY FROM THE EDGE

REBOTAR CUANDO TOCA EL BORDE

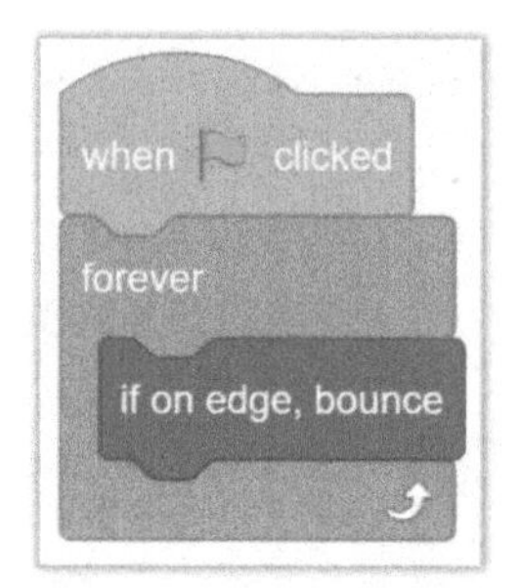

QUIZ STRUCTURE

ACERTIJOS

Mensaje para el jugador

La pregunta

Respuesta correcta

Sonido cuando acierta

Puntos ganados cuando acierta

Mensaje para cuando pierde

INCREASE SIZE OF SPRITE WHEN MOUSE HOVER OVER

AGRANDANDO EL TAMAÑO DEL SPRITE CUANDO PASAS EL RATÓN

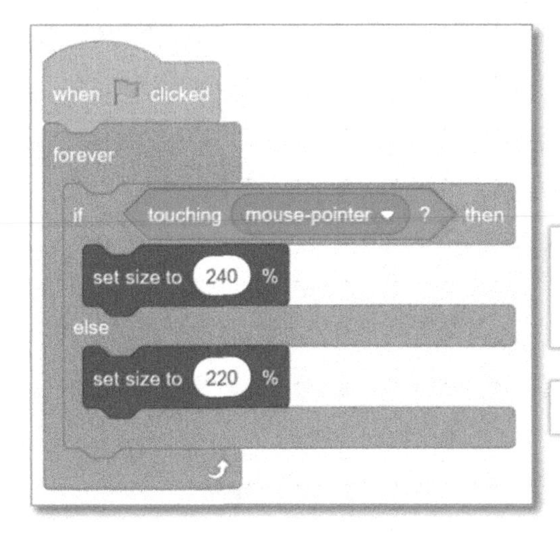

Tamaño grande cuando se pasa el ratón

Tamaño original

CLICKING & GETTING POINTS

HACIENDO CLIC Y GANANDO PUNTOS

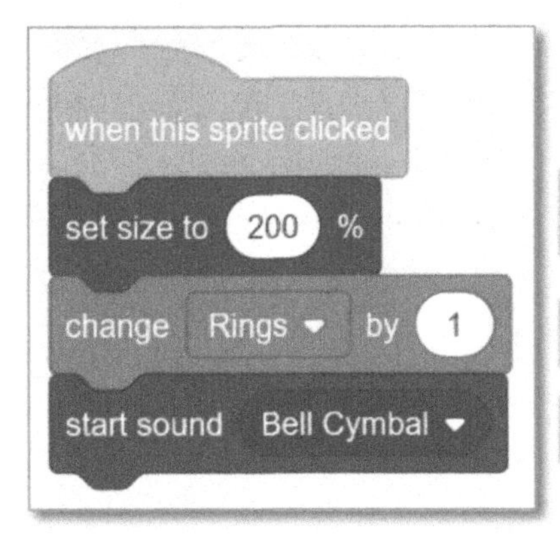

Tamaño cuando haces clic

Puntos que ganas

Sonido al hacer clic

CHASING ANOTHER SPRITE

PERSIGUIENDO A OTRO SPRITE

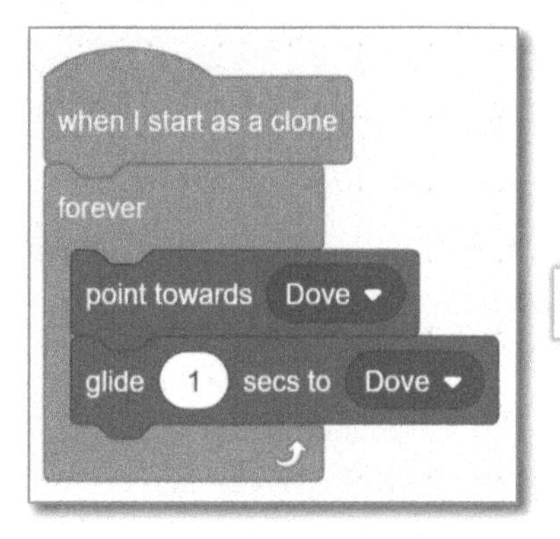

Indica a quien persigues

CREATING CLONES

CREANDO CLONES

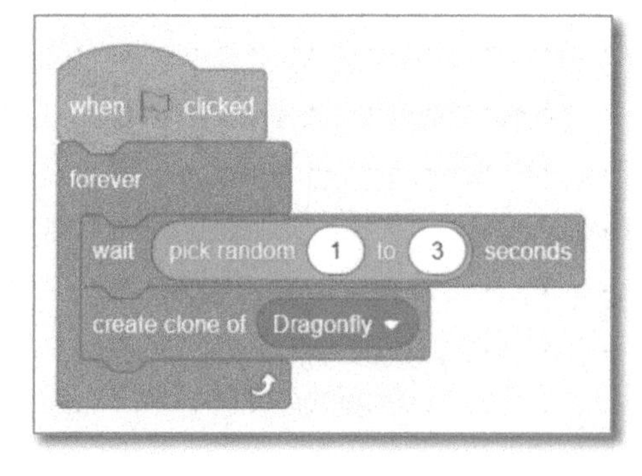

El tiempo entre clon y clon

Indica el clon que se clonea

TRIGGERING EVENTS WITH POINTS

DESENCADENANDO EVENTOS CON PUNTOS

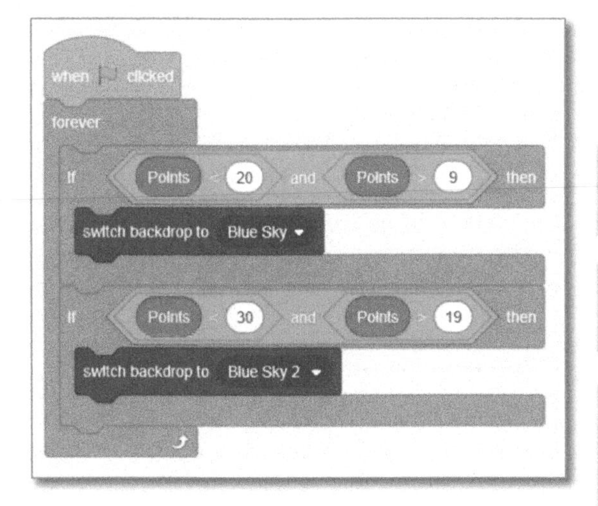

La cantidad de puntos necesarios

El evento que sucede

Lo mismo, pero cuando tienes más puntos

GREETING THE USER

SALUDANDO AL USUARIO

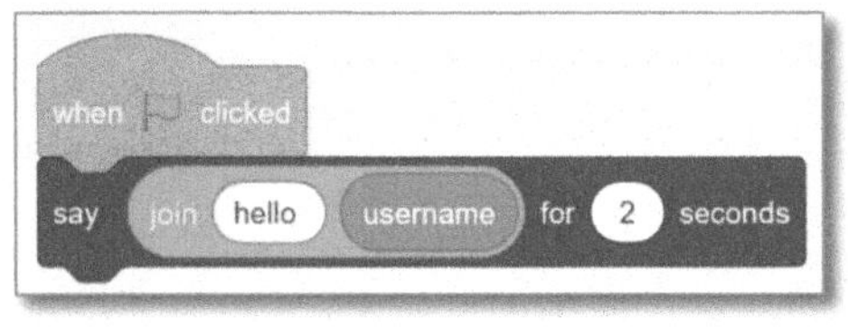

Tiempo de duración del saludo

ABOUT THE AUTHOR

Thomas Szafir Fridman (Tommy) was born in 2004 in Amsterdam, The Netherlands, and lived in Luxembourg and in Madrid, Spain. At the moment of writing this book he was 16 years old. He is a passionate of mathematics and gaming.

ACERCA DEL AUTOR

Thomas Szafir Fridman (Tommy) nació en el año 2004 en Ámsterdam, Países bajos, y vivió en Luxemburgo y en Madrid, España. Cuando escribió este libro tenía 16 años. Tommy es un apasionado de las matemáticas y los juegos online.

Made in the USA
Columbia, SC
11 July 2021